DOMRÉMY

ouvent Jeannette la Pucelle, et dans
uit avec elle la charrue de son père; e
s filles j'ai été aux champs et à la pât
ous jouions ensemble, Jeanne se reti
Dieu, à ce qu'il me semblait; moi e
s moquions d'elle. Elle était bonne
les églises et les lieux saints; quand e
outes les fois qu'elle entendait sonner
tait à genoux; elle travaillait volontie
ravaux et choses de la maison, allait a
re, et quelquefois, quand c'était son
aux. [...] Je l'ai vu quand elle s'en
e de Greux, et elle disait aux gens : "
entendu dire plusieurs fois qu'elle ré
la France et le sang royal.»

laboureur à Domrémy, dem

ORLÉANS

«Le jour après, soit le lendemain, de bon matin, ils sortirent
de leur tente et se rangèrent en bataille pour combattre
à ce qu'il semblait. L'ayant appris, la Pucelle se leva
de son lit et s'arma; mais elle ne voulut pas que l'on s'en
aille contre les Anglais, ni qu'on leur demande quelque
chose, mais ordonna qu'on les laisse s'en aller, et en fait il
s'en allèrent sans que personne les poursuive; et à cette heure
la ville fut délivrée des ennemis. Moi-même et tous ceux
de la cité nous croyons que, si la Pucelle n'était pas venue
de par Dieu à notre aide, nous autres habitants et la cité
nous eussions été en peu de temps réduits à la merci
et au pouvoir des adversaires qui assiégeaient; je ne crois pas
que les habitants ni les soldats qui étaient dans la ville
auraient pu longtemps résister contre la puissance
des ennemis qui alors prévalaient tellement contre eux.»

Jean Luillier,
«mercier» (marchand en gros)

REIMS

A la reine et à sa mère
«Et à l'heure que le roi fut sacré, et aussi quand l'on lui
assit la couronne sur la tête, tout homme cria : Noël!
Et trompettes sonnèrent en telle manière,
qu'il semblait que les voûtes de l'église se dussent fendre.
Et durant ledit mystère, la Pucelle
s'est toujours tenue joignant du roi, tenant son étendard
en sa main. Et c'était moult belle chose de voir les belles
manières que tenait le roi et aussi la Pucelle.
Et Dieu sache si vous y avez été souhaitées.»
Trois gentilshommes angevins, chargés de raconter la cérémonie
à Marie d'Anjou et Yolande d'Aragon

ROUEN

«L'un des Anglais, un soldat, qui la détestait
extraordinairement et qui avait juré que de sa propre main
il porterait un fagot au bûcher de Jeanne,
au moment où il le faisait et entendait Jeanne criant
le nom de Jésus à son dernier moment, demeura tout frappé
de stupeur et comme en extase, et fut conduit
à une taverne près du Vieux-Marché, pour que,
la boisson aidant, les forces lui reviennent. Et après avoir
déjeuné, avec un frère de l'ordre des frères prêcheurs,
cet Anglais confessa par la bouche de ce frère,
qui était Anglais, qu'il avait gravement péché,
et qu'il se repentait de ce qu'il avait fait contre Jeanne,
qu'il tenait pour une sainte femme; car, à ce qu'il lui
semblait, cet Anglais avait vu lui-même, au moment
où Jeanne rendait l'esprit, une colombe blanche sortant
du côté de France.»

Isambart de La Pierre,
dominicain, assesseur au procès de condamnation de Jeanne

Régine Pernoud est
une médiéviste
mondialement connue.
Docteur ès lettres,
ancienne élève de
l'Ecole des Chartes et
de l'Ecole du Louvre,
elle a été conservateur
au musée des beaux-
arts de Reims, puis au
musée de l'Histoire de
France aux Archives
nationales. Elle est
l'auteur de nombreux
ouvrages dont
Les Croisés (1959),
Aliénor d'Aquitaine
(1965), *Héloïse
et Abélard* (1970),
*Pour en finir avec
le Moyen-Age* (1976),
*Histoire de la
bourgeoisie en France*
(1977), *La Femme
au temps des
cathédrales* (1980),
et d'une dizaine sur
Jeanne. Elle a fondé en
1973 le Centre Jeanne
d'Arc à Orléans. Elle
est docteur *honoris
causa* des universités
de Rio de Janeiro et de
Paxton, Massachusetts.

A la mémoire de Marcel Thiébaut, à qui je dois d'avoir connu Jeanne, et en souvenir de Barbara Karinska, qui fit don de sa bibliothèque au Centre Jeanne d'Arc.

*Tous droits de traduction
et d'adaptation réservés
pour tous pays*
© *Gallimard 1994.*
Dépôt légal : février 1994
Numéro d'édition : 66767
ISBN : 2-07-053267-4
*Imprimerie Kapp Lahure
Jombart, à Evreux*

J'AI NOM JEANNE LA PUCELLE

Régine Pernoud

ÉLAGUÉ

DÉCOUVERTES GALLIMARD
HISTOIRE

Un village en pays barrois, sur les bords de Meuse, proche des frontières de Lorraine, c'est Domrémy, où la guerre «de Cent Ans» se fait sentir comme partout ailleurs en France, en cette année 1428 : guerre étrangère contre les envahisseurs anglais et leurs alliés bourguignons, et guerre civile puisque les habitants tiennent pour le roi de France alors que dans le bourg proche de Maxey ils sont «bourguignons».

CHAPITRE PREMIER
DOMRÉMY-CHINON

La maison de Jeanne à Domrémy est demeurée telle ou à peu près qu'au XVe siècle : la statue et le fronton ont été ajoutés. Mais c'est bien dans l'ensemble la maison d'un paysan aisé de l'époque. A gauche, le départ de Vaucouleurs.

«Va, va, et advienne que pourra!» C'est en ces termes que Robert de Baudricourt fait ses adieux à Jeanne. Celui qui le premier lui a fait confiance, Jean de Metz, lui avait donné un vêtement de son serviteur, Jean de Honnecourt.

FLANDRE
Calais
Tourna
ARTOIS
Compiègne Ais
Rouen
Oise
Reims
Mt St Michel
Paris
Seine
Orléans
Yonne
Loire
Gien
Cher
DUCHÉ D
La Chari
Chinon
Bourges
St-Pierre
Creuse
Vienne
Riom
Dordogne
GUYENNE
Garonne
ARMAGNAC

ANGLAIS
BOURGUIGNONS
ARMAGNACS (France "libre")

Les Anglais maîtres en France

En 1400, après le meurtre
du roi d'Angleterre Richard
II Plantagenêt qui avait
épousé Isabelle, fille du roi de
France, s'ouvre une deuxième
phase de ce que nous appelons
très improprement la guerre
de Cent Ans. Elle est menée par
les Lancastre, qui ont usurpé
le pouvoir en Angleterre après
avoir fait périr Richard II et qui
entendent trouver dans la
conquête de la France, facilitée
par la folie de son roi Charles VI,
confirmation de leur accession
au royaume. En 1415, Henri V
de Lancastre, qui s'est
ménagé l'appui du duc
de Bourgogne, prend pied
en Normandie et remporte
le 25 octobre l'écrasante
victoire d'Azincourt.

Après s'être emparé de
Rouen, il fera son entrée
à Paris en 1418 et, par le

traité de Troyes (21 mai 1420), obtiendra la main de Catherine de France, fille du roi fou, et la promesse du trône pour leur descendance, écartant le successeur légitime Charles, futur Charles VII. Mais Henri V meurt le 30 août 1422, précédant de deux mois Charles VI dans la tombe; son frère le duc de Bedford prend le titre de régent de France et veille, dans le pays envahi – Normandie, Picardie et Ile-de-France, en fait le nord de la Loire –, aux intérêts de son neveu, futur Henri VI, «roi de France et d'Angleterre».

Menace sur Orléans

En octobre 1428, les Anglais décident une attaque sur Orléans qui, en leur livrant le passage de la Loire, assurerait leur mainmise sur la France du Midi où d'ailleurs ils possèdent, cela en légitime héritage, la Guyenne. Leur victoire leur permettrait aussi de s'emparer de la personne du fils et héritier légitime de Charles VI, lequel n'a pu, depuis 1422, recevoir son couronnement, promis au fils d'Henri V, et vit dans la France d'outre-Loire, retranché à Bourges, Chinon ou Loches.

A quelques lieues (une vingtaine de kilomètres) de Domrémy se dresse l'imposante forteresse de Vaucouleurs, dont le capitaine Robert de Baudricourt tient résolument pour le roi de France. Ses fortifications lui ont permis, au mois de mai 1428, de résister à une attaque bourguignonne, à la suite de laquelle Baudricourt s'est engagé à n'entreprendre aucune action guerrière contre Anglais ou Bourguignons.

Une petite fille comme les autres dans un village comme les autres

Née vers 1412, Jeanne est la quatrième des cinq enfants de Jacques d'Arc (Dart) et d'Isabelle Romée: on l'appelle Jeannette. Elle prend part comme les autres aux travaux de la maison et parfois des

La porte de France à Vaucouleurs (ci-dessous), la seule qui subsiste des puissants remparts d'une forteresse qui fit ses preuves, puisque l'assaut conduit par le Bourguignon Antoine de Vergy en 1428 n'a pu la réduire. Est-ce bien par cette porte que sortit Jeanne, accompagnée de son escorte? On en discute encore.

Page de gauche, le sceau équestre de Henri V de Lancastre, roi de France et d'Angleterre. Conformément au traité de Troyes qui lui attribuait la double monarchie, il portait les armes de France (fleur de lys) et d'Angleterre (léopard d'or sur champ de gueules), rassemblées sur un même blason.

champs, et comme les autres aussi, entend parler de l'état calamiteux dans lequel se trouve le royaume. Elle connaît les duretés de l'occupation, les pillages des routiers qui parcourent la campagne – ces mercenaires à la solde des belligérants, plus redoutables en temps de paix qu'en temps de guerre parce qu'alors ils ne sont pas soldés et pillent les campagnes –, les alertes à l'approche des armées ennemies pour se réfugier dans la forteresse la plus proche.

C'est à l'âge d'«environ treize ans», donc vers l'année 1425 qu'elle entend un appel insolite : une voix, dont elle dira par la suite que c'est celle de saint Michel, lui dit «la pitié qui était au royaume de France» et l'exhorte à «venir au secours du roi de France». Cette sorte d'appel va se renouveler «deux ou trois fois la semaine». Jeanne en garde le secret et y répond en faisant vœu de virginité, signe de consécration à Dieu : elle se fera par la suite appeler la «Pucelle». Comme elle le dira plus tard : «La voix me disait que j'irais en France et je ne pouvais plus durer où j'étais, la voix me disait que je lèverais le siège mis devant la cité d'Orléans, la voix m'a dit aussi que je m'en aille à Robert de Baudricourt dans la forteresse de Vaucouleurs, qu'il me donnerait des gens pour aller avec moi.»

Jeanne à Vaucouleurs

En mai 1428, sous le prétexte d'aller aider la femme de son cousin Durand Laxart, qui demeure à une lieue de Vaucouleurs, Jeanne va

Cette miniature, la seule qui montre Jeanne dans sa jeunesse, donne la note juste : une petite paysanne en cotte rouge qui, un jour, s'est présentée au capitaine de Vaucouleurs.

«Quand j'eus l'âge d'environ treize ans, j'ai eu une voix de Dieu pour m'aider à me gouverner. Et la première fois j'eus grand peur. [...] La voix m'était envoyée de par Dieu, et après que je l'ai entendue trois fois, je connus que c'était la voix d'un ange.»

Un épisode guerrier dans le déroulement de la vie paysanne (ci-contre) : la fuite vers Neufchâteau des habitants de Domrémy, à l'approche des armées bourguignonnes d'Antoine de Vergy, en juillet 1428. Bêtes et gens s'enfuient pêle-mêle, et verront, de loin, l'incendie de leur église.

«Jeanne était bonne, humble et douce fille ; elle allait volontiers et souvent à l'église et aux lieux saints, et souvent elle avait honte de ce que les gens disaient qu'elle allait si dévotement à l'église. [...] Elle s'occupait comme font les autres jeunes filles, elle faisait les travaux de la maison et filait, et quelquefois – je l'ai vue – elle gardait les troupeaux de son père.» C'est son amie Hauviette qui rappelle ainsi ses souvenirs. «Elle faisait les ouvrages de femme, filer et tout le reste», racontera plus tard son parrain Jean Moreau.

trouver Baudricourt. Elle est simplement éconduite. Elle revient six mois plus tard et, comme en témoigne Catherine Le Royer chez qui la Pucelle était hébergée à Vaucouleurs, dit au capitaine : «N'avez-vous pas entendu dire qu'il a été prophétisé que la France serait perdue par une femme et restaurée par une vierge des marches de Lorraine ?» Vaincu par tant d'obstination, le capitaine de Vaucouleurs lui donne une escorte pour aller trouver le roi à Chinon. Deux hommes sont volontaires pour l'aider, deux seigneurs des environs : Jean de Metz et Bertrand de Poulengy, qui amènent chacun un serviteur. Le groupe se complète d'un messager royal, Colet de Vienne, un de ces hérauts qui ont la charge officielle de délivrer les messages, et d'un nommé Richard l'Archer.

Le sculpteur Rude (en bas) a su évoquer une Jeanne encore très jeune et sereine. Dans le tableau de Bastien-Lepage au contraire (ci-contre), le cadre – «Bois-Chenu» –, l'entourage, les apparitions de saint Michel, saintes Catherine et Marguerite illustrent de façon dramatique l'histoire de Jeanne. «Assez proche de Domrémy, il y a un arbre qu'on appelle l'arbre des Dames ; d'autres l'appellent l'arbre des Fées, auprès duquel est une source ; j'ai entendu dire que les malades de la fièvre boivent à cette source et vont y chercher de l'eau pour avoir santé. Cela, je l'ai vu moi-même, mais je ne sais s'ils guérissent ou non», dira-t-elle au procès.

«Une voix qui vient de par Dieu»

Jeanne écoutant ses voix a inspiré de façon plus ou moins heureuse les peintres de la fin du XIXᵉ siècle. Tel a opté pour la simplicité, l'ingénuité d'une bergère «inspirée», avec ses moutons (à gauche, Osbert), tel autre a été plus sensible à l'étrangeté du dialogue avec un monde surnaturel (ci-contre, Bénouville). Pour Jeanne, passé le temps des premières frayeurs, semble s'être établie une sorte de familiarité avec ses «voix», ou son «conseil», comme elle les appellera aussi. Elle l'affirmera sans ambages durant le procès : «Je vous ai déjà dit que ce sont sainte Catherine et sainte Marguerite. Et croyez-moi si vous voulez !
– Cette voix a-t-elle parfois changé sa délibération ? – Jamais je ne l'ai trouvée en deux paroles contraire.
– Cette voix que vous dites vous apparaître est-ce un ange ou vient-elle de Dieu immédiatement ?
– Cette voix vient de par Dieu et je crois que je ne vous dis pas pleinement ce que je sais. J'ai plus grand peur de faire faute, en disant chose qui déplaise à ces voix, que je n'en ai de vous répondre.»

Les habitants de Vaucouleurs, gagnés à sa cause, lui offrent des vêtements d'homme pour qu'elle puisse chevaucher, ainsi qu'un cheval. Finalement, Jeanne et ces six hommes prennent le départ de Vaucouleurs quelque temps après le dimanche des Bures, c'est-à-dire le 13 février de l'année 1429. Jeanne a alors dix-sept ans.

En route vers Chinon

La petite escorte allait mettre onze jours pour traverser la France de Vaucouleurs à Chinon – ce qui représente une excellente moyenne puisqu'il lui a fallu franchir quelque six cents kilomètres. On ignore les étapes précises du parcours, sauf la première : le monastère de Saint-Urbain-de-Joinville. Il ne fallait pas attirer l'attention des Anglais et donc éviter les principales villes et les principaux ponts. C'est pour Jeanne la première épreuve et les six hommes qui l'entourent sont petit à petit gagnés à sa cause durant ce compagnonnage de tous les instants où ils courent ensemble une multitude de périls à travers des chemins peu sûrs, comportant des fleuves qu'il faut franchir à gué. Lorsqu'ils atteignent le terroir demeuré français, à Auxerre, Jeanne d'abord entend la messe «dans la grande église», précise-t-elle, c'est-à-dire la cathédrale.

À l'étape suivante, Sainte-Catherine-de-Fierbois, elle dicte une lettre à l'attention du «dauphin» : c'est ainsi qu'elle appellera Charles jusqu'au moment où il sera sacré. Sans doute Colet de Vienne fut-il désigné

L'arrivée de Jeanne à Chinon, telle que la montre l'une des miniatures des *Vigiles du roi Charles VII* de Martial d'Auvergne, ne manifeste aucun souci d'historicité : Jeanne est en robe longue, en cheveux longs. Détail exact cependant, elle est accompagnée de Jean de Metz et de Bertrand de Poulengy, qui témoigneront plus tard au procès de réhabilitation : «Nous couchions chaque nuit tous les deux avec elle, la Pucelle gardant son pourpoint et ses chausses, liées et serrées.» Jamais ils n'eurent «envers elle désir ni mouvement charnel». Le décor est campé : sur la gauche, un château qui pourrait être celui de Chinon ; à droite, la ville et quelques habitants.

pour porter cette lettre, conformément à sa fonction. Robert de Baudricourt avait par ailleurs dépêché un autre héraut, qui dut arriver à Chinon peu après Jeanne et ses compagnons ; on place généralement cette arrivée au 6 mars 1429.

Une forteresse sur la Vienne

Le château de Chinon dresse au-dessus de la vallée de la Vienne des ruines qui restent imposantes aujourd'hui encore. Il était puissamment fortifié. L'année précédente, en 1427,   le dauphin Charles

Le départ de Vaucouleurs : ce bas-relief qui orne, à Orléans, le soubassement de la statue de Jeanne d'Arc sur la place du Martroi montre l'enthousiasme des habitants de Vaucouleurs ; c'est par eux que Jeanne a été pour la première fois «plébiscitée».

Le «logis de Charles VII», tel qu'il subsistait au XVIIᵉ siècle, et en partie aujourd'hui, et la grande tour du château de Chinon sont l'impressionnant décor de la première entrevue de Jeanne avec le dauphin. L'ensemble surplombe la «ville aux toits pointus», le long de la Vienne.

y avait réuni des Etats généraux qui avaient tout au moins permis de constater la fidélité de la France du Midi à sa cause : aux «Bourguignons» s'opposaient décidément les «Armagnacs». Le touriste qui aujourd'hui monte jusqu'au château en empruntant ce qu'on appelle toujours la «rue Jeanne-d'Arc» voit d'abord, parmi les restes de murailles détruites – destruction qui date du XVIIᵉ siècle et provient surtout de l'abandon dans lequel il fut laissé par les ducs de Richelieu auxquels il appartenait –, un mur auquel est restée, comme suspendue, une cheminée : c'est celle de l'ancienne salle du château où Jeanne fut reçue par le dauphin.

Le roi prend conseil de son entourage : faut-il recevoir cette fille qui vient d'une extrémité du royaume, des «marches» (de la frontière) de Lorraine ? Serait-ce une folle ? une illuminée ? Ou pire une espionne ? Finalement, il décide de la recevoir et, après deux jours d'attente, Jeanne, le troisième soir, est admise à pénétrer dans la grande salle du château.

«Gentil dauphin, j'ai nom Jeanne la Pucelle...»

Elle va droit au roi, lequel s'était dissimulé parmi les seigneurs de son entourage, et lui délivre l'essentiel de son message : «Gentil dauphin, j'ai nom Jeanne la Pucelle, et vous mande le roi des cieux par moi que vous serez sacré et couronné dans la ville de Reims et vous serez lieutenant du roi des cieux qui est roi de France.» Ajoutant après les questions du roi : «Je te dis de la part de Messire [Dieu] que tu es vrai héritier de France et fils de roi et il m'a envoyé à toi pour te conduire à Reims pour que tu reçoives ton couronnement et ta consécration, si tu le veux.»

On peut imaginer l'effet de semblable parole sur ce jeune dauphin de vingt-six ans qui, depuis la mort de son père fou en 1422, n'a vécu qu'incertitudes et difficultés, après une jeunesse plus que troublée, puisqu'il a vu mourir successivement ses deux frères aînés, Louis et Jean, et les calamités de toutes sortes s'abattre sur un royaume, que l'on compare alors à une «nef sans gouvernail». Charles attire Jeanne un peu à l'écart, près de cette cheminée

Cette cheminée dans la grande salle du château est le seul témoin des confidences, dont aucun historien n'a pu percer le secret, de Jeanne au dauphin.

demeurée suspendue entre ciel et terre et il a avec elle un entretien secret. «Après l'avoir entendue, il paraissait radieux», déclarera plus tard au procès de réhabilitation Simon Charles, un des principaux témoins de la scène. Que lui a-t-elle dit ? A-t-elle révélé au roi une prière que celui-ci aurait faite seul dans son oratoire, comme il l'a confié plus tard à l'un de ses proches ? Lui-a-t-elle confirmé qu'il était bien le fils de Charles VI, et non pas un bâtard comme le bruit courait ?

Jeanne est obstinément restée muette sur ce point. Toujours est-il que la petite paysanne est admise à demeurer au château : un logement lui est assigné dans la tour du Couldray, qui subsiste encore.

Le «procès» de Poitiers

S'il est séduit, le roi reste prudent. Voulant se garantir contre toute supercherie, il décide que dès le lendemain la Cour s'ébranlera vers Poitiers où se trouvent réunis clercs, prélats et maîtres en théologie. Ils ont fui l'université de Paris, depuis le

«Vous ne le tirerez pas de ma bouche», disait Jeanne à ses juges lorsqu'ils tentaient de lui extorquer ce qu'elle avait dit au futur roi lors de leur entretien secret. On se trouve réduit uniquement aux hypothèses. On a pensé récemment que Jeanne était chargée par ses «voix» d'apporter à Charles le pardon divin pour le meurtre de Jean sans Peur, lors de ce qu'on a appelé le «guet-apens de Montereau», le 10 septembre 1419. Mais Charles semble, même après son sacre, comme obsédé par le désir d'une réconciliation avec le fils de Jean sans Peur, Philippe le Bon, et ne craindra pas d'engager des tractations avec lui, à l'insu de Jeanne. Lui-même devait confier plus tard à son familier Guillaume Gouffier que Jeanne lui avait révélé la teneur d'une prière «un matin en son oratoire, tout seul». C'est du moins ce que raconte, à la fin du XVe siècle, Pierre Sala, qui le tenait de Gouffier lui-même, dans son ouvrage *Hardiesse des grands rois et empereurs*. En saurons-nous jamais davantage ?

« En celuy temps vingt la nouvelle à la cour de France que y avait une pucelle près Vaucouleurs es marches de Barroys laquelle estoit nommée Jehanne, et dist par plusieurs fois à un nommé messire Robert de Vaudricour ...» Ainsi débute l'histoire de Jeanne dans la *Chronique abrégée des rois de France* (ci-contre), où l'arrivée de Jeanne à la Cour est mise en scène de façon élégante et courtoise.

début gagnée à la cause anglaise, imprégnée qu'elle était d'influence bourguignonne : un clerc de l'université de Paris n'avait-il pas justifié l'assassinat du duc d'Orléans par son cousin le duc de Bourgogne l'an 1407 ?

De fait, Jeanne à Poitiers va être interrogée pendant trois semaines, tandis que quelques femmes sont désignées pour surveiller discrètement sa conduite et que, sur l'ordre de la belle-mère du roi, Jeanne de Preuilly et Jeanne de Mortemer font

procéder à l'examen de sa virginité : il fallait s'assurer que celle qui se faisait appeler la «Pucelle», c'est-à-dire la vierge, l'était effectivement. Seguin Seguin, un de ces clercs, témoigne : «"Tu as dit que la voix t'a dit que Dieu veut délivrer le peuple de France des calamités dans lesquelles il est. S'il veut le délivrer, il n'est pas nécessaire d'avoir des gens d'armes." A quoi Jeanne répondit : "En nom Dieu les gens d'armes batailleront et Dieu donnera victoire." De cette réponse, Maître Guillaume [Emery] se tint content. Je lui demandai quel langage parlait sa voix ? Elle me répondit : "meilleur que le vôtre". Moi, je parlais limousin.»

L'ensemble des épreuves a été convaincant. Les conclusions des maîtres et docteurs qui l'ont interrogée déclarent qu'en Jeanne on ne trouve que «bien, humilité, virginité, dévotion, honnêteté, simplicité».

Une armure pour Jeanne

Le roi décide de se fier à ses conseils et, inquiet du sort de la ville d'Orléans, de l'utiliser pour tenter un nouvel effort de guerre. Jeanne est conduite à Tours, où à cette époque sont couramment fabriqués armes et équipements de combat : on lui fait confectionner une armure et un étendard. Elle-même fait faire une bannière selon ses instructions, représentant le Christ en croix, pour que les prêtres qui suivaient l'armée puissent réunir les troupes et les exhorter à se bien conduire et à se confesser. Elle reçoit une véritable «maison militaire» : un intendant, Jean d'Aulon, deux pages, Louis de Coutes et un nommé Raymond, et deux hérauts, Ambleville et Guyenne. Dans le même temps, une armée est concentrée à Blois, sur la rive gauche de la Loire, d'où on compte l'acheminer vers Orléans par la Sologne. La petite paysanne des marches de Lorraine est désormais chef de guerre.

Sur cette miniature, Jeanne est représentée en armure, tenant l'épée de la main droite. Derrière elle, on distingue l'étendard, conforme à la description qu'elle-même en a donnée, «sur lequel était peinte l'image de Notre Sauveur assis au jugement sur les nuées du ciel, et il y avait un ange peint tenant dans ses mains une fleur de lys que l'image bénissait». Ce bassinet, percé à la tempe et qui aurait appartenu à Jeanne, a été longtemps conservé à Orléans dans l'église Saint-Pierre du Martroi. Avait-il été remis là en ex-voto ? Par Jeanne ou par un autre combattant ? Nul ne le sait. Quant à l'épée, elle est du type de celles utilisées par la Pucelle, qui affirmera pourtant au procès : «Je portais moi-même l'étendard, quand on chargeait les ennemis, pour éviter de tuer personne. Je n'ai jamais tué personne ».

L'AN MIL QUATRE CENS
vingt et neuf, mist le siege davant
la ville dorleans, le conte de salubry, le
sire de tallot, le conte de suffort et plusie
autres engloys a bien grant oust ... Cy
furent reculz engloys davant la ditte

C'est le 12 octobre 1428 que Jean, comte de Salisbury, un capitaine éprouvé, parent du roi d'Angleterre, était venu mettre le siège devant Orléans. La cité s'imposait avec évidence aux armées d'invasion comme clef de la Loire et passage obligé des troupes pour établir une relation avec Bordeaux et la Guyenne, demeurée anglaise. De plus, au passage, on pouvait s'emparer du dauphin, qu'on nomme par dérision le «Petit Roi de Bourges».

CHAPITRE II
ORLÉANS

« L'an mil quatre cens ving et neuf mist le siège devant la ville d'Orléans le conte de Salubry, le sire de Talbot, le conte de Suffort et plusieurs autres angloys a bien grant coust...» Ci-contre, le dessin tracé à la plume par le greffier du Parlement de Paris, Clément de Fauquembergue, au matin du 10 mai 1429, lorsque fut «criée» dans Paris la levée du siège d'Orléans.

Les Orléanais redoutaient depuis longtemps cette attaque et ils avaient fait abattre certains de leurs faubourgs, entre autres le couvent des Augustins, pour éviter qu'ils puissent servir de base aux assiégeants anglais. Dès le mois d'octobre 1428, ceux-ci se sont rendus immédiatement maîtres, sur la rive gauche, des fortifications du pont, appelées les Tourelles, et du faubourg de Saint-Jean-Le-Blanc, coupant ainsi Orléans de la rive gauche de la Loire. Ils ont bloqué aussi successivement les points d'accès de la ville côté nord et côté ouest, en élevant des bastides ou retranchements, auxquelles ils donnent, non sans humour, le nom de «Londres», «Rouen», «Paris».

La ville ainsi coupée de toute communication, seule demeurait libre, à l'est, ce qu'on nomme la porte de Bourgogne à laquelle aboutissait l'ancienne voie romaine, qu'ils tentent de boucler à plusieurs reprises. En amont sur la Loire, ils se sont emparés de ce qu'on appelle l'île Saint-Loup et ont là aussi élevé une bastide fortifiée. Ils ont subi le 24 octobre une perte sensible en la personne de Salisbury, tué par un boulet. Il est d'ailleurs aussitôt remplacé, pour conduire le siège, par Guillaume Glasdale.

«Etes-vous le bâtard d'Orléans?»

«Etes-vous le bâtard d'Orléans ? – Oui, je le suis et je me réjouis de votre arrivée. – Est-ce vous qui avez donné le conseil que je vienne ici de ce côté du fleuve

Ci-dessus, le pont royal d'Orléans, construit au XVIIIᵉ siècle à quelques mètres de l'ancien pont des Tourelles, celui que reconquit Jeanne. Ce dernier, dont on aperçoit encore aujourd'hui le point d'appui sur la rive sud, datait du XIIᵉ siècle. En été, quand la Loire est basse, on aperçoit quelques pierres de ce pont. A l'époque de Jeanne, Orléans est la seule ville, avec Angers, à avoir un pont sur la Loire. En haut à gauche, Salisbury frappé par un boulet, alors qu'il observait les remparts de la ville, à l'abri d'une palissade.

Ce plan qui peut dater de la fin du XVe siècle montre bien le tracé des remparts d'Orléans et, dans le prolongement du pont, le chemin qui marquait la limite entre la cité proprement dite et l'ancien bourg d'Avenio. On voit bien l'emplacement de l'île de Belle-Croix, sur laquelle prenait appui le pont des Tourelles, ainsi que, sur la rive sud de la Loire, le fort des Tourelles, que

Vray pourtraict de la ville d'Orleans, comme elle estoit lors du siege des Anglois, en l'an 1428.

et que je n'aille pas tout droit, là où sont Talbot et les Anglais ? »

Jeanne prendra d'assaut le 7 mai 1429.

Tels sont les premiers mots échangés, l'après-midi du vendredi 29 avril 1429, entre Jeanne et celui qui défend la ville d'Orléans assiégée. Jean, fils naturel de Louis d'Orléans, est venu en effet dès le début du siège défendre la cité de son demi-frère, le poëte

Charles, lequel est emprisonné en Angleterre depuis Azincourt. Lui aussi, en dépit de sa jeunesse, est un homme de guerre éprouvé. Il a fait lever, deux ans auparavant, le siège de Montargis. Mais jusqu'à présent ses efforts pour faire libérer la ville d'Orléans ont été inutiles. Une tentative de sortie contre un convoi de ravitaillement ennemi a même tourné au désastre, presque au ridicule, le 12 février précédent. C'est ce qu'on appelle la «journée des harengs»; le convoi contenait en effet des tonneaux de harengs destinés au ravitaillement de l'armée anglaise en ce temps de carême. Le désordre s'est mis dans les rangs français et le bâtard Jean lui-même a été blessé. A Orléans, la faim commence à se faire sentir, et la population ne doute pas d'être vouée au même sort que Rouen dix ans auparavant : en arriver à manger les rats pour, en fin de compte, capituler.

Une jeune fille en colère

Cependant le bâtard d'Orléans – il recevra beaucoup plus

Jean était né le 18 avril 1402 au château de Beauté-sur-Marne, de Mariette d'Enghien et de Louis d'Orléans, frère du roi Charles VI. Valentine Visconti, épouse légitime de

tard, en raison de ses exploits, le château de Dun et le titre de comte de Dunois sous lequel il est aujourd'hui connu – a été tenu au courant de la nouvelle tournure des événements : par la rumeur publique, il a eu vent de la mission de Jeanne. Pour donner le change aux assiégeants, il a fait déclencher une escarmouche devant la bastide Saint-Loup et s'est rendu lui-même à Chécy, en passant par la porte de Bourgogne où doit arriver cette fille étonnante dont chacun parle.

Louis, lui avait fait bon accueil. «Jean est mon fils», disait-elle volontiers, et le petit bâtard fut, comme c'était la coutume à l'époque, élevé dans la famille de son père. Il n'a qu'un an de plus que le dauphin, et, à vingt-sept ans, compte plus d'une victoire à son actif.

Après la bataille «des harengs» le 12 février (ci-contre), le découragement gagne les Orléanais. Plusieurs de leurs défenseurs quittent la place : le comte de Clermont, l'amiral Louis de Culant, La Hire – pourtant attaché à la cause du roi de France. L'évêque d'Orléans aussi s'éloigne, ainsi que Regnault de Chartres, archevêque de Reims. Les Orléanais tentent une démarche auprès du duc de Bourgogne, lui rappelant que la ville appartient à son cousin prisonnier. Philippe rappelle alors le contingent bourguignon qui prenait part au siège.

Il se trouve devant une jeune fille en colère. Elle est impatiente de combattre et supporte mal ces retards, ces détours par Blois, par la Sologne, par Chécy ; elle qui n'a qu'une idée : aller tout droit combattre les Anglais là où ils sont. Dunois pourtant, attentif à tous les aspects de la situation, est inquiet de constater que le vent n'est pas favorable et que les bateaux chargés de vivres, qui arrivent de Blois, ne peuvent remonter le fleuve. Or, au moment même où a lieu sa rencontre avec Jeanne, le vent change et devient favorable. Il se tourne alors vers elle et lui demande d'entrer avec lui dans la cité d'Orléans où «on la désire extrêmement». Jeanne hésite, elle voudrait rester avec le gros de l'armée, puis elle se décide et, avec le bâtard d'Orléans, ayant en main son étendard, accompagnée d'un autre chef de routiers bien connu nommé La Hire, elle fait son entrée dans la cité par la porte de Bourgogne.

Les armes de Jean, comte de Dunois et de Longueville : elles sont «écartelées» de celles de la maison d'Orléans (trois fleurs de lys d'or sur champ d'azur – armes de France – couronnées d'un lambel) et traversées par la barre de bâtardise, ce qui, à l'époque, et jusqu'au XVIIIe siècle, n'a rien d'humiliant.

MAY MCCCCXXIX

Reçue à Orléans

«Elle entra dans Orléans, armée de toutes pièces, montée sur un cheval blanc. Elle faisait porter devant elle son étendard qui était pareillement blanc, sur lequel il y avait deux anges tenant chacun une fleur de lys en leurs mains. [...] D'autre part vinrent la

Les registres du Parlement comportent des faits judiciaires, mais aussi politiques ou militaires, comme une sorte de journal officiel.

recevoir les autres gens de guerre, bourgeois et bourgeoises d'Orléans, portant grand nombre de torches et faisant telle joie, comme s'ils avaient vu Dieu descendre parmi eux. Et non sans cause car ils avaient eu plusieurs ennuis, travaux et peines et grande crainte de n'être pas secourus et de perdre tout, corps et biens. Mais ils se sentaient déjà tous réconfortés et comme désassiégés par la vertu divine qu'on leur disait être en cette simple pucelle [...] et il y avait merveilleuse foule et presse à la toucher, ou au cheval sur lequel elle était.» Ainsi s'exprime le *Journal du siège d'Orléans*, rédigé d'après des notes prises au jour le jour par un Orléanais dont le nom ne nous est pas connu. Jeanne est conduite, dans une atmosphère de liesse, jusqu'à l'hôtel de Jacques Boucher, trésorier du duc d'Orléans, où elle doit être logée. Nous sommes au soir du 29 avril.

Premier contact avec la guerre

Pendant ce séjour, qui sera court, Jeanne ne va pas décolérer. Le lendemain de son arrivée, le samedi 30 avril, elle est furieuse car ce jour-là il a été décidé qu'on n'entreprendrait pas d'assaut. Raisonnablement, il fallait que les forces puissent se regrouper. Le dimanche, le bâtard d'Orléans s'en va chercher les renforts demeurés à Blois. Il n'est pas question d'entreprendre une action sans la présence, ou au moins l'accord,

Façade de l'hôtel de Jacques Boucher où fut logée Jeanne : il s'agit d'une restauration complète, faite après la guerre de 1940.

«Mardi 10ᵉ jour de may fut rapporté et dit à Paris publiquement que dimanche dernier passé, les gens du dauphin en grand nombre [...] étaient entrés dans la bastille que tenait Guillaume Glasdale pour combattre les ennemis, qui avaient en leur compagnie une pucelle seule ayant bannière.» Le greffier du Parlement de Paris a ajouté une réflexion personnelle : «Ce qu'il en pourra être de l'événement, Dieu le sait, maître des guerres et prince tout-puissant au combat.» Bien qu'il ne l'ait pas vue, il a dessiné dans la marge (page de gauche) cette Pucelle avec son épée et son étendard dont chacun parlait.

du défenseur de la cité. Celui-ci ne revient que le mercredi, et aussitôt Jeanne va à sa rencontre pour apprendre que les Anglais sont sur le point de recevoir une armée de renfort, commandée par John Falstaff. Après déjeuner, chacun va prendre un peu de repos. Tout à coup la Pucelle se lève, réveille son page et lui ordonne de l'aider à s'armer et d'aller chercher son cheval. En hâte. Il lui passe son étendard par la fenêtre et Jeanne presse son cheval en direction de la porte de Bourgogne. Or il y avait là – hasard ou intuition de Jeanne ? – une escarmouche du côté de la bastide de Saint-Loup, dont les Français s'emparent. C'est le premier contact de Jeanne avec la guerre ; elle pleure, voyant les morts et les blessés, qu'ils soient Français ou Anglais.

Troisième sommation de Jeanne

Le lendemain, jeudi 5 mai, est fête de l'Ascension. Le souvenir de la trêve de Dieu, instituée plus de quatre siècles auparavant, est encore assez vif pour qu'en ce jour de fête les combats soient suspendus. Jeanne se contente ce jour-là d'envoyer aux Anglais sa troisième et dernière lettre de sommation. Nous n'avons pas le texte de la deuxième, envoyée dès son arrivée à Orléans, mais la première, bien connue, a été envoyée depuis Poitiers. «Vous, Anglais, qui n'avez aucun droit sur ce royaume de France, le Roi des cieux vous ordonne et mande par moi, Jeanne la Pucelle, que vous quittiez vos forteresses et retourniez dans votre pays.[…] Voilà ce que je vous écris pour la troisième et dernière fois, et n'écrirai pas davantage.» Signé : Jésus Maria, Jeanne la Pucelle. Pour envoyer ce message, elle emploie un moyen inusité, une flèche à laquelle il est attaché ; les Anglais ont en effet retenu son héraut, le nommé Guyenne, ce qui est contraire aux usages de la guerre, lorsqu'il a apporté sa seconde lettre de sommation. Le message déchiffré, c'est une tempête de rires, de sarcasmes et d'injures dans le camp anglais tout proche de cette porte Regnard à laquelle est contigu l'hôtel de Jacques Boucher.

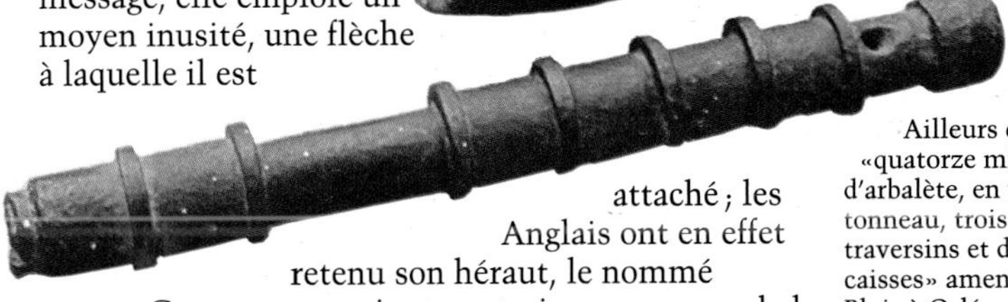

Les comptes de la forteresse d'Orléans font mention des armes que l'on voit ici : bombardes et couleuvrines. Ainsi sont rétribués quatre voituriers qui «ont amené de Châteaudun à Orléans deux cent soixante-quinze livres de poudre», ou encore on paie «les nautonniers qui passèrent les chalands et sentines [barques] qui portèrent les canons et artillerie».

Ailleurs ce sont «quatorze mille traits d'arbalète, en un tonneau, trois traversins et deux caisses» amenés de Blois à Orléans. Mention est faite de boulets de pierre et de plomb, notamment pour la «grosse bombarde» de la défense d'Orléans.

La prise des Augustins

Le 6 mai, Jeanne, levée de bon matin, entend la messe et se prépare à l'assaut qui semble bien avoir été mené par surprise et à la suite d'une nouvelle algarade, cette fois entre Jeanne et le sire Raoul de Gaucourt qui prétendait empêcher les hommes d'armes de sortir. Les Français s'emparent de la bastide de Saint-Jean-Le-Blanc que les Anglais avaient abandonnée. Leurs défenseurs se sont retirés de l'autre côté de la Loire, dans la bastide qu'ils ont installée sur l'emplacement de l'ancien couvent des Augustins. Les Français se sentent en minorité et battent en retraite. Jeanne, accompagnée de La Hire, passe à l'arrière pour protéger la retraite ; sur quoi les troupes reprennent courage, et l'élan est tel que tous se portent contre la bastide des Augustins. Elle est prise d'assaut. Les défenseurs anglais survivants se retirent en hâte dans la dernière

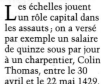

Les échelles jouent un rôle capital dans les assauts ; on a versé par exemple un salaire de quinze sous par jour à un charpentier, Colin Thomas, entre le 30 avril et le 22 mai 1429.

bastide, celle des Tourelles, «et fut la grosse bastide [des Augustins] gagnée, et demeurèrent devant elle les seigneurs et leurs gens, avec la Pucelle, toute cette nuit». La nouvelle se répand à Orléans et, toute la nuit, ce sont des passages en barque : on apporte aux défenseurs restés sur place pain, vin et vivres. Sur ce, les capitaines font remarquer à Jeanne qu'il y a eu là une bonne prise de faite et que, le lendemain, on peut rester sur les positions. Fureur de Jeanne : «Vous avez été à votre conseil et moi au mien. Et croyez que le conseil de mon Seigneur sera accompli et tiendra, et que ce conseil-là périra.» Face à des combattants qui trouvent toujours qu'ils en ont assez fait, Jeanne est celle qui exhorte et déclenche l'assaut vainqueur.

De même est-il fait mention, dans les comptes de la ville, de ceux qu'on voit «émoudre» (aiguiser) les cognées apportées devant les Tourelles avant l'assaut. On fabrique aussi, comme le représente le bas-relief ci-dessous, des ponts volants pour franchir les fossés ou pour protéger les assaillants. Ci-dessus, la maquette du fort des Tourelles.

A l'assaut des Tourelles

Le lendemain, samedi 7 mai, l'assaut se porte contre la bastide des Tourelles, qui bloque

Comment les francoys leuerent
le siege vaillamment et entrerent
dedans orleans.

le pont. Et Jeanne prédit qu'on rentrera cette soirée-là
dans la cité par le pont. Elle est pourtant blessée : une
flèche qui pénètre au-dessus de son sein. On la soigne,
comme on le faisait alors, en mettant de l'huile
d'olive et du lard sur la blessure. Jeanne pleure, se
lamente et appelle son chapelain pour se confesser.
Mais l'assaut reprend, et Jeanne revient au combat.
Cependant, au soleil couchant, le bâtard d'Orléans
juge qu'il faut sonner la retraite. Jeanne alors a le
conseil du bon sens : «Reposez-vous, mangez et
buvez.» Elle-même se retire quelque temps et
demeure en prières, puis lorsqu'elle revient, saisissant
son étendard au bord du fossé, tous la suivent «et
avec grande âpreté assaillirent le boulevard qu'en peu
de temps après, ce boulevard et la bastide furent pris
et abandonnés des ennemis, et entrèrent les Français
dans la cité d'Orléans par le pont». C'est l'intendant
de Jeanne, Jean d'Aulon, qui s'exprime ainsi,
rappelant ses souvenirs, bien des années plus tard.
Effectivement, les Tourelles étant prises, on pouvait
rétablir le pont et rentrer dans la cité à laquelle était
rendue son issue normale. A nouveau, l'armée reste
sur place toute la nuit, craignant un retour de combat
«mais les Anglais n'en avaient nul vouloir», comme

La levée du siège, telle que l'évoquent les *Vigiles du roi Charles VII* (page de gauche). A nouveau, les deux rives de la cité sont reliées, libres. «Aussi firent-ils grande joie, dit le *Journal du siège*, et louèrent Notre Seigneur de cette belle victoire qui leur avait été donnée; et bien le devaient faire, car on dit que cet assaut, qui dura depuis le matin jusqu'au soleil couchant, fut tant grandement assailli et défendu que ce fut un des plus beaux faits d'armes qui eut été fait longtemps par avant».

Le tableau de Scherrer évoque l'atmosphère de liesse dans les rues d'Orléans. Les comptes de la ville mentionnent nombre de libéralités faites par les procureurs, tant à Jeanne qu'à ses frères Pierre et Jean qui sont venus combattre à ses côtés, ou à d'autres de ses compagnons. Tandis que la cité répare ses murailles et se remet à vivre, le bruit de cette libération inattendue se répand, relayé par les marchands d'armes italiens – attentifs aux combats – et plus encore par la renommée de Jeanne qui dépasse les frontières : Sigismond, l'empereur d'Allemagne, se fait renseigner à son sujet.

dit le rédacteur du *Journal du siège d'Orléans*.

Orléans libérée

Le lendemain, dimanche 8 mai, les Anglais des diverses bastides se rassemblent et se mettent en disposition de bataille. Jeanne et les autres capitaines convoquent de leur côté l'armée sur Orléans, qui elle aussi se range en bataille. Les deux armées se font face. «Et en tel point furent très près l'un de l'autre, l'espace d'une heure entière, sans se toucher.» La Pucelle interdit de porter les premiers coups «en l'honneur du saint dimanche». Une heure de suspense, après quoi un ordre circule dans les rangs anglais, qui «se mirent en chemin et s'en allèrent bien rangés et ordonnés dans Meung-sur-Loire, et levèrent et laissèrent totalement le siège qu'ils avaient tenu devant Orléans depuis le

ORLÉANS. — FÊTES DU 500e ANNIVERSAIRE DE JEANNE D'ARC (7 mai 1913).
GRAND CORTÈGE HISTORIQUE. — Jeanne d'Arc.

Le siège d'Orléans a fait l'objet d'un

«mistère» (ci-dessus) qui fut représenté dans la ville dès 1434. On dit que Gilles de Rais, qui combattit à Orléans, prit à sa charge les frais de quelques-uns des tréteaux dressés à cette occasion.

douzième jour d'octobre 1428 jusqu'à ce jour».
Orléans était libérée : libérée en huit jours après un
siège qui durait depuis plus de sept mois. Libérée de
la façon la plus inattendue, la plus surprenante. La
ville ne devait jamais oublier cette libération. Dès
l'année suivante, le 8 mai 1430, se formait un cortège
spontané, qui se rendit à la cathédrale pour rendre
grâce comme Jeanne la Pucelle l'avait fait l'année
précédente, ce jour-là. Et depuis, le 8 mai chaque
année, pour Orléans, aura été jour de fête.

La fête du 8 mai à
Orléans mobilise
aujourd'hui encore la
cité, rassemblant clergé
et autorités
municipales. La
coutume s'est
établie de choisir parmi
les jeunes Orléanaises
une «Jeanne d'Arc» qui
prend la tête du
cortège. Ci-dessus, des
bannières, datant du
XVIe siècle, promenées
dans Orléans à cette
occasion. Sur celle de
gauche, on voit Jeanne
et Charles d'Orléans
agenouillés auprès de
la Vierge, au second
plan, saint Aignan et
saint Euverte,
protecteurs de la ville.

« **L**e Roi tint conseil sur ce qu'il voulait faire, dit une chronique du temps, car la jeune fille voulait toujours le conduire à Reims, et le couronner, et le faire proclamer roi.» Il était évident que, du point de vue stratégique, c'était une sorte de folie que de s'engager sur la route de Reims, en terroir ennemi. Jeanne cependant, le bâtard d'Orléans l'atteste, «incitait le roi très instamment et très souvent à se hâter et ne pas tarder davantage».

CHAPITRE III
REIMS

Cette miniature, du début du XVe siècle, évoque Jeanne dans tout l'appareil de gloire et de faste qui a dû l'entourer au moment du sacre. C'est elle qui a insisté pour que soit prise la route de Reims, en dépit de tous les raisonnements d'humaine sagesse qui pouvaient l'en écarter : chevaucher en plein pays bourguignon – avec des étapes comme Auxerre, Troyes, Châlons, où les attendaient des garnisons hostiles – était certes une entreprise des plus risquées. Mais au bout de la route était le triomphe de la légitimité royale : la cathédrale, élevée deux cents ans plus tôt sur l'emplacement de celle qui avait vu le baptême de Clovis, la cathédrale du sacre royal.

Au lendemain même de la victoire d'Orléans, Jeanne, avec le bâtard d'Orléans, s'est rendue au château de Loches où se trouve le roi. Pour aller à Reims, il faut en tout cas «faire la route libre et sûre», en se rendant maîtres des principales villes occupées par les Anglais sur la Loire, entre autres Meung-sur-Loire, Beaugency, Jargeau, qui avaient toutes leur garnison ennemie. Cependant, vers l'armée du roi, les renforts spontanés affluent de toutes parts : désormais, le vent de la victoire souffle de tous côtés.

La campagne de Loire

La campagne qui s'amorce sera menée par Jean, duc d'Alençon. Ce dernier avait été fait prisonnier par les Anglais puis libéré sur parole : il venait alors d'achever de payer la rançon à l'occupant. Ce duc d'Alençon, que Jeanne appelle «mon beau duc», semble avoir été fasciné aussi bien par les exploits que par la personne de Jeanne. Ensemble, ils vont s'emparer successivement de Jargeau le 10 juin 1429, puis de Meung et de Beaugency. Un apport inattendu leur viendra entre-temps de la part du connétable Arthur de Richemont, qui, bien qu'en disgrâce auprès du roi, se joint aux combattants. Cependant, l'armée anglaise de Falstaff, destinée à renforcer celle de John Talbot, qui a rassemblé les survivants d'Orléans, fait sa jonction avec celui-ci vers Patay, mettant l'armée française en situation critique.

Patay, revanche d'Azincourt

Le soir du 17 juin, les deux armées sont face à face. Elles passent la nuit sur leurs positions respectives puis vont se mettre le lendemain en ordre de bataille.

Or se produit un incident inattendu. Un cerf sort des bois et se jette «parmi la bataille des Anglais où il s'éleva un haut cri, car ils ne savaient pas que leurs ennemis fussent si près d'eux», dit le chroniqueur bourguignon Jean de Wavrin, présent à l'événement. Renseignés par ces cris et alertés par leurs éclaireurs, les Français se portent aussitôt en masse contre l'armée de Talbot, prise entre d'étroits passages vers les haies qui s'élevaient non loin de Patay. Les hommes de Falstaff, trompés par leur mouvement, les croient en déroute et s'enfuient sans avoir combattu.

Les Français, profitant du désordre général dans les rangs ennemis,

Ci-dessous, l'arrivée de Jeanne à Loches. L'attente au château fut compensée par l'arrivée de renforts : entre autres, Arthur de Richemont (page de gauche en haut), comte de Bretagne, alors en disgrâce à cause de la haine que lui voue La Trémoille. Il lui sera interdit de paraître au sacre. Guy de Laval, de la famille de Duguesclin, est venu lui aussi rejoindre l'armée royale. Il recevra à Reims le titre de comte. Page de gauche (au milieu), John Talbot, qui remit son épée à Jeanne au soir de Patay.

Le château de Loches (ci-contre, Jeanne y retrouvant Charles VII) a été le témoin des atermoiements et des hésitations du dauphin avant de s'engager sur la route de Reims. Comme le racontera plus tard le bâtard d'Orléans, «Jeanne incitait le roi très instamment et très souvent à se hâter et ne pas tarder davantage. [...] Je me souviens qu'après les victoires dont j'ai parlé, les seigneurs de sang royal et les capitaines voulaient que le roi aille en Normandie et non à Reims, mais la Pucelle a toujours été d'avis qu'il fallait aller à Reims pour consacrer le roi, et donnait la raison de son avis, disant que, une fois que le roi serait couronné et sacré, la puissance des adversaires diminuerait toujours, et qu'ils ne pourraient finalement nuire ni à lui ni au royaume. Tous se rallièrent à son avis.» C'est à Loches que, à la demande du roi, Jeanne fait confidence de la manière dont lui parle la «voix» : «Fille-Dieu, va, va, va; je serai à ton aide, va.» Il est possible aussi qu'elle ait rencontré au château le futur Louis XI, alors âgé de six ans.

s'emparent de la personne même de John Talbot et taillent en pièces ceux qui l'accompagnent. De l'évaluation même des Bourguignons, il y a ce jour-là deux mille morts du côté anglais, trois morts seulement du côté français. «Ainsi, conclut Jean de Wavrin, obtinrent les Français la victoire au lieu de Patay où ils passèrent cette nuit, remerciant Notre Seigneur de leur belle aventure.» Patay était une réplique à Azincourt, quatorze ans plus tard. L'écho de cette victoire surprenante parvient jusqu'à Paris où on

La victoire de Patay était un rude coup porté aux armées d'occupation : Talbot prisonnier, Falstaff et son armée mis en fuite sans avoir combattu... La situation qu'avait créée Azincourt se trouvait renversée et l'élan donné par Jeanne paraissait invincible.

Huit jours après Patay, l'armée du roi, qui ne cesse de s'augmenter de nouveaux partisans, se trouve toujours à Gien, attendant l'ordre de départ. «De dépit, écrit Perceval de Cagny, le chroniqueur du duc d'Alençon, la Pucelle se délogea et alla loger aux champs, deux jours avant le départ du roi.» Le signal de ce départ est enfin donné le 29 juin 1429. Et dès ce jour ont été envoyées aux bonnes villes des lettres annonçant le couronnement de Charles VII. Dès ce moment aussi on peut noter dans l'entourage du roi certaines réticences à suivre l'élan et l'influence de Jeanne. «Nous ne sommes pas du conseil de cour, nous sommes de l'exploit des champs», disent, quant à eux, les compagnons de la Pucelle. Deux influences qui agiront en sens contraire. Notons pourtant que Charles a le mérite de promettre à tous les habitants des villes traversées une amnistie complète pour les actions passées, et qu'il tiendra parole.

se hâte de fortifier les remparts et de renforcer le guet.

Jeanne aurait voulu que l'armée s'ébranlât vers Reims, aussitôt après cette victoire inattendue. Mais elle doit attendre jusqu'au 29 juin le départ massif de l'armée regroupée à Gien : long délai pour son impatience. Cependant, dès le lendemain, l'armée du sacre arrive en vue d'Auxerre, laquelle appartenait au duc de Bourgogne. Après échange d'ambassades, les notables de la cité laissent le passage, sans donner aucune garantie de soumission, puisqu'ils déclarent

qu'ils feraient au roi la même obéissance que les gens de Troyes, Châlons et Reims.

A Troyes, la ville où avait été conclu le traité qui déshéritait Charles, Jeanne fait mine de préparer un assaut. Elle dit au dauphin : «Avant trois jours je vous introduirai dans la cité de Troyes, par amour ou par force ou par courage, et la fausse Bourgogne en sera toute stupéfaite.» Le lendemain 10 mai, les portes sont ouvertes et le roi fait siéger Jeanne à son conseil, c'est ce que montre cette miniature : les notables de Troyes viennent remettre les clefs de la ville à Charles VII en présence de la Pucelle.

La reddition de Troyes

C'est donc en pleine incertitude que l'on gagne l'étape suivante, celle de Troyes. Là encore, on se heurte à une garnison bourguignonne. Cette ville n'est-elle pas celle où, neuf ans auparavant, a été conclu le traité qui déshéritait Charles ? Celui-ci prend soin, à quelque distance de la cité, d'adresser aux habitants une lettre de rémission, c'est-à-dire une amnistie, effaçant leur responsabilité du traité de 1420 qui l'a écarté du trône. Jeanne écrit de son côté, promettant toute sécurité pour les habitants s'ils viennent loyalement au devant du roi Charles : «Et si ainsi ne le faites, je vous promets et certifie sur vos vies que nous entrerons à l'aide de Dieu en toutes les villes qui doivent être du Saint Royaume, et y ferons bonne paix ferme, qui que vienne contre.» C'est alors que se place un épisode comique. Les gens de Troyes ont parmi eux un certain frère Richard, cordelier, dont la renommée est grande. Il demande à parler à Jeanne. Celle-ci accepte et, à son approche, tentant de l'exorciser, il fait en l'air maints signes de croix en jetant de l'eau bénite comme pour conjurer un démon. Sur quoi Jeanne lui dit : «Approchez hardiment, je ne m'envolerai pas !» Enfin, après force

L e calice du sacre, superbe œuvre d'orfèvrerie, date du XIIᵉ siècle et a probablement servi pour le sacre de Saint Louis. Le jour du sacre, le roi communiait sous les deux espèces, du pain et du vin, suivant l'usage qui avait été général jusqu'au milieu du XIIIᵉ siècle.

L'ange au sourire semble accueillir celui qui se dirige vers le portail de la cathédrale. Il est typique de cette finesse qui distingue la sculpture champenoise. L'effigie du roi provenant de la basilique de Saint-Denis le montre tel qu'il dut paraître au

tractations et pourparlers, les gens de Troyes, encouragés à cela par leur évêque Jean Leguisé, ouvrent leur porte au «dauphin et à Jeanne elle-même». L'attitude de l'évêque de Châlons allait être aussi favorable, le 14 juillet suivant.

Jeanne au sacre

Déjà affluent sur la route les groupes de gens qu'attire la cérémonie du couronnement. Parmi eux des gens de Domrémy, au milieu desquels elle reconnaît avec émotion son parrain, Jean Moreau.

jour de son couronnement. Il est désormais «Charles septième, roi de France». Et c'est bien ainsi que l'entend le peuple. Désormais, vont s'ouvrir devant lui toutes les portes des bonnes villes du royaume.

Quelle va être l'attitude des gens de Reims ? Jeanne, une fois de plus, rassure le roi : «N'ayez crainte, car les gens de Reims viendront au devant de vous.» Effectivement, une députation de notables l'attend au château de Sept-Saulx et, dès son arrivée, au soir du 16 juillet, Charles, qui attend ce jour depuis sept ans, fait son entrée dans la ville du sacre.

Reims, depuis le baptême de Clovis, est demeurée la ville du sacre. C'est à Reims que rois et reines reçoivent leur couronnement et l'onction. La coutume a été généralement observée, surtout à partir du XIIᵉ siècle. Or, en 1429, Reims est en plein pays bourguignon. Son archevêque, Regnault de Chartres, ne peut y résider. Ce sacre devait avoir lieu dans les formes habituelles, le lendemain, 17 juillet ; le père et la mère de Jeanne s'y rendent. Quatre chevaliers (dont Gilles de Rais) avaient été envoyés à l'abbaye de Saint-Rémi, toute proche, pour escorter la Sainte Ampoule, apportée par l'abbé qui la remettait à l'archevêque Regnault de Chartres, lequel devait faire au roi les onctions traditionnelles. Le duc d'Alençon fut chargé de lui attacher ses éperons d'or ; et le sire d'Albret de lui remettre son épée. Jeanne, bien sûr, est là avec son étendard ! «Il avait été la peine, c'était bien raison qu'il fût à l'honneur», devait-elle répondre plus tard aux universitaires qui lui demandaient pourquoi cet étendard avait été «davantage porté en l'église de Reims à la consécration du Roi que ceux des autres capitaines». La mission qu'elle avait énoncée devant les juges de Poitiers était accomplie : le roi légitime venait de recevoir son couronnement et son sacre.

Il fut sacré en grande pompe ; la cérémonie dura «de l'heure de tierce jusqu'à vêpres», dit une chronique contemporaine, celle de Morosini ; et un autre témoin montre Jeanne s'agenouillant devant le roi après le sacre, «et l'embrassant par les jambes, lui dit en pleurant à chaudes larmes : "Gentil Roi, ores est exécuté le plaisir de Dieu, qui voulait que je vous amène en cette cité de Reims recevoir votre saint sacre, en montrant que vous êtes vrai roi, et celui auquel le royaume doit appartenir." Et faisait grand pitié à tous ceux qui le regardaient.»

La reine Marie d'Anjou était absente : le roi l'avait renvoyée à Bourges au moment d'entreprendre une chevauchée incertaine. Trois chevaliers angevins étaient chargés de lui écrire pour lui raconter la cérémonie.

Condamnée à l'inaction

Aux amis de Domrémy retrouvés sur la route du sacre, Jeanne confiait qu'«elle ne craignait rien si ce n'est trahison.» De fait, la trahison

Dans ce dessin, qui préfigure le tableau du Louvre, Ingres a montré Jeanne en armure, à l'autel de Reims, l'étendard en main. C'est au XIXᵉ siècle qu'ont été publiés les procès – de condamnation et de réhabilitation – de Jeanne. C'est à la même époque que les artistes ont eu le souci de la reconstitution vraisemblable : Jeanne ne porte plus ici la jupe et le panache qu'on lui infligeait aux XVIIᵉ et XVIIIᵉ siècles.

l'attendait à Reims. Le duc de Bourgogne n'avait pas paru au sacre, auquel il avait été invité. Jeanne lui avait écrit, l'exhortant à faire avec celui qui était le roi légitime «une bonne paix ferme qui dure longuement». Or, pressentis probablement par La Trémoille, des envoyés du duc sont présents à Reims. Et l'on constate que Charles, devenu Charles VII, entend mener sa politique personnelle. Bien loin de se fier à celle qui l'a conduit au sacre, il veut mener seul sa diplomatie et, soucieux d'effacer l'épisode

Le peintre Maurice Denis a évoqué le sacre en esquissant la foule dans la cathédrale, le roi agenouillé, et surtout, au centre, la silhouette de Jeanne. Les couleurs mouvantes, les reflets ici et là rendent remarquablement l'atmosphère et l'émotion de la cérémonie.

du «guet-apens de Montereau» (l'assassinat de Jean sans Peur), se concilier le duc.

Au terme de pourparlers avec les émissaires de Philippe de Bourgogne, tenus secrets et à l'insu de Jeanne, Charles, devenu le roi, ne trouvera, lui, rien d'autre à faire qu'une trêve… de quinze jours avec le duc : trêve suffisante pour condamner à l'inaction une armée toute frémissante encore dans l'enthousiasme de la victoire. En échange, le duc de Bourgogne promettait de livrer Paris ! Le régent Bedford faisait hâter les renforts venus d'Angleterre et débarqués à Calais : ces trois mille cinq cents cavaliers et archers avaient d'abord été levés en Angleterre pour la lutte contre ces hérétiques de Bohême qu'on nommait les Hussites, mais sitôt débarqués, ils furent détournés sur Paris.

Paris à tout prix

De toute évidence, c'était Paris qui aurait dû être l'objectif premier. L'armée du sacre, qui n'avait même pas eu à combattre pour cette promenade militaire

Gilles de Laval, sire de Rais (ci-contre), s'est signalé par des actes de bravoure durant la campagne de Reims. Le roi lui octroiera le droit de porter les armes de France sur ses propres armoiries. Après avoir combattu à Beauvais et à Lagny, il se retire du métier des armes en 1439 et mène en son château de Tiffauges une vie qui le conduira au procès de 1440-1443 pour meurtre et viol d'enfants.

Sous le sceau de Gilles de Rais, celui de Poton de Xaintrailles (ci-contre représenté face à La Hire). Poton allait être fait prisonnier en août 1431 et emmené à Rouen où il fut gardé dans le même château que Jeanne.

ayant amené le roi à recevoir son sacre, était impatiente d'entrer en action. Même impatience d'ailleurs dans le bon peuple qui, partout où se rend le roi, vient triomphalement à sa rencontre aux cris de «Vive Charles, roi de France». C'est ainsi que l'accueillent les habitants de Beauvais, dont l'évêque, Pierre Cauchon, récemment nommé d'ailleurs, après la conclusion du traité de Troyes dont il avait été le principal négociateur, sentant le vent tourner, avait prestement quitté son diocèse. «Ceux de la cité se mirent en pleine obéissance du roi sitôt que vinrent ses hérauts portant ses armes et crièrent tous en très grande joie : "Vive Charles, roi de France".» Partout, à Soissons, Laon, Château-Thierry, Provins, Coulommiers, le roi n'a qu'à se présenter pour être acclamé. Mais quelle impatience chez une Jeanne, chez un duc d'Alençon qui, eux, espéraient un parcours droit comme flèche sur Paris, comme l'avait été le chemin vers Reims !

Drôle de guerre à Senlis

On put croire quelque temps à une rencontre imminente. L'armée anglaise s'était mise en marche en direction de Senlis avec le renfort de sept cents Picards envoyés par le duc de Bourgogne. Bedford, très habilement, venait de nommer celui-ci gouverneur de Paris. Les Français eux-mêmes se trouvaient à deux lieues de Senlis, près du château de Montépilloy. La bataille semblait imminente ; le jour même du 15 août, Jeanne, le duc d'Alençon et les capitaines vinrent provoquer les Anglais de l'autre côté de la rivière où ils s'étaient retranchés, et où ils demeurèrent obstinément. Témoin oculaire, le héraut Berry constate : «Tout le jour, ils furent l'un devant

La signature d'Etienne de Vignolles, dit La Hire «qui était de moult grand renom, et vaillants gens de guerre étant en sa compagnie». Il a combattu à Orléans et fut l'un des premiers de «ceux qui se boutèrent en foi de la croire». «La» désigne Jeanne, dont il fut l'un des plus fidèles compagnons. Plus tard, Charles VII le nommera capitaine général de Normandie. Mais au moment du bûcher de Rouen, La Hire est captif à Dourdan, après avoir fait une tentative d'assaut sur la ville de Louviers. Le très beau sceau équestre est celui du bâtard d'Orléans, comte de Dunois et sire de Longueville. Paris sera libéré en avril 1436 par Richemont, rentré en grâce, et Dunois. Trois ans plus tard, celui-ci accueillera à Calais son demi-frère Charles d'Orléans, enfin libre après vingt-cinq ans de captivité.

l'autre, sans haies et sans buissons, près l'un de l'autre le trait d'une couleuvrine et ne combattirent point.» Charles VII partit ce soir-là en direction de Crépy tandis que Bedford allait sur Senlis. Les Anglais étaient visiblement peu pressés d'affronter à nouveau l'armée royale, et pour Jeanne comme pour le duc d'Alençon, ce qui importait, c'était l'assaut sur Paris.

Cavalier seul vers Paris

Tandis que le roi s'attarde à Compiègne, hâtant le départ, ils se dirigent sur Saint-Denis. De là, ils envoient plusieurs messages au roi, lequel «semblait conseillé au contraire du vouloir de la Pucelle, du duc d'Alençon et ceux de leur compagnie», comme le note un chroniqueur du temps, Perceval de Cagny. Jeanne et le duc tentent néanmoins un nouvel assaut, le 8 septembre 1429, du côté de la porte Saint-Honoré. Il dure jusqu'au coucher du soleil, où Jeanne est blessée d'un trait d'arbalète, tandis que son page Raymond est tué à ses côtés. On l'entraîne malgré ses protestations, mais le lendemain parvient un ordre du roi intimant de se retirer à nouveau sur Saint-Denis tandis qu'un autre ordre est donné pour détruire le pont de bateaux qui avait été jeté sur la Seine. Quelques jours plus tard, le 21 septembre, à Gien, Charles VII ordonnait de dissoudre l'armée du sacre. Lui-même regagne les bords de Loire et son château de Mehun-sur-Yèvre.

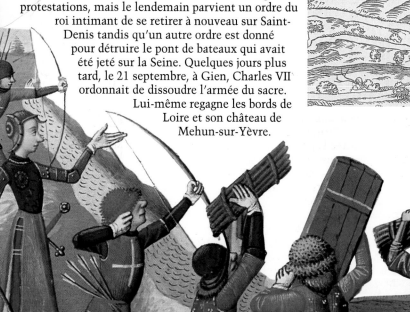

«O Paris, très mal conseillé», s'exclamait dans son poème Christine de Pisan. Cette poétesse, célèbre au point que le roi Henri V d'Angleterre lui avait offert de devenir l'«ornement» de sa cour, avait refusé. Quand les Anglais étaient entrés dans Paris en 1418, elle s'était cachée dans un monastère, sans doute celui de Poissy où sa fille était religieuse. «Je, Christine, qui ai pleuré / Onze ans en abbaye close.»

Christine et Jeanne

A la nouvelle des victoires de Jeanne, sa verve poétique soudain retrouvée, elle avait composé un long poème, cinquante-six strophes, racontant les victoires inattendues dont elle venait d'être témoin. «L'an mil quatre cent vingt et neuf / Reprit à luire le soleil.» Magnifique poème qui est en même temps un document d'histoire, car il a été certainement composé entre le sacre du roi et l'attaque sur Paris, qui finalement n'a pas eu lieu, du moins pas avec l'approbation royale. Ce poème n'en donne pas moins à vif l'impression que tous les témoins ressentaient alors. «Qui vit donc chose advenir / Plus hors de toute opinion / [...] Il n'est homme qui le pût croire [...] Que Dieu, par une vierge tendre / Ait dès lors voulu (chose est voire) / sur France si grande grâce étendre. / [...] Voici femme, simple bergère / Plus preux qu'oncques homme fut à Rome / [...] Jamais parler / N'ouïmes de si grande merveille.»

Mais la série des merveilles était close : Charles, devenu le roi Charles VII, entendait désormais mener lui-même sa propre politique.

« Aux fagots et aux claies tout le monde», semble crier Jeanne sur cette miniature (page de gauche). On sait l'importance des claies, fagots et échelles dans la guerre de siège. L'assaut est ici donné contre la porte Saint-Honoré à Paris, bien repérable sur ce plan. C'était le quartier des boulangers et des pâtissiers. L'endroit où eut lieu l'assaut est toujours rappelé par une plaque, place du Palais-Royal.

Christine de Pisan, face à son écritoire, reçoit la visite de Minerve. On imagine le sentiment de délivrance que dut ressentir la poétesse, qui, retirée dans un couvent, n'avait plus écrit depuis onze ans. Voir la victoire obtenue par une femme devait être pour elle d'autant plus émouvant qu'elle avait soutenu, contre les universitaires parisiens, la première querelle «féministe» de notre histoire.

Un long hiver s'annonce pour Jeanne, qui n'a pas fini sa mission. Le duc d'Alençon propose des opérations en Normandie. Le roi refuse et s'emploie à séparer ces deux combattants dont l'ardeur lui paraît excessive. Jeanne sait qu'on n'aura raison de l'ennemi qu'«au bout de la lance». Elle se ronge dans l'inaction, tandis que le roi se fait fort de terminer par la diplomatie ce que lui ont apporté les succès de la Pucelle.

CHAPITRE IV
SAINT-PIERRE-LE-MOÛTIER -COMPIÈGNE

Jean Fouquet a peint le «très victorieux roy de France », sans flatter les traits et le regard méfiant de celui qui devait à Jeanne sa couronne. Ci-contre, Jeanne vue par Paul Dubois en 1873. Son image est devenue inséparable, en cette fin du XIXe siècle, de l'armure.

LA VILLE CHASTEAV ET REMARQVABLE PRIORE DE LA CHARITE SVR LOIRE

J. Ponssart ex.   PAR C. CHASTILLON

C'est probablement de La Trémoille qu'est venue l'idée d'occuper Jeanne en lui confiant quelques opérations militaires mais de petite importance, durant cet hiver 1429-1430 que le roi consacrait à d'illusoires négociations. La Trémoille avait été quelque temps fait prisonnier par un fameux chef de bande, Perrinet-Gressart, et s'en était tiré en lui versant une forte rançon (14 000 écus). Perrinet-Gressart, solidement retranché dans quelques forteresses qu'il possédait notamment dans le Nivernais, vendait ses services tantôt à Bedford et tantôt au duc de Bourgogne. Les historiens n'ont pas manqué de noter l'attitude ambiguë de La Trémoille – ennemi personnel d'Arthur de Richemont alors en disgrâce – en cette période ; au reste, son frère Jean de La Trémoille était un familier du duc de Bourgogne et figure parmi les premiers chevaliers de l'ordre de la Toison d'or, créé par ce dernier en 1430.

La Charité-sur-Loire : premier échec

En novembre 1429, Jeanne accepte cette série d'opérations qui sont menées par le sire d'Albret avec le maréchal de Boussac et le comte de Montpensier. Le premier assaut est donné d'abord à la ville de

La Charité-sur-Loire constituait pour le chef de bande Perrinet-Gressart un camp retranché. Il avait pris la ville en 1423 et prétendait représenter, dans le comté de Nevers, les intérêts du duc de Bourgogne. En fait, il louait ses bons offices à qui le payait, de préférence à celui qu'il croyait être le vainqueur du jour. Plutôt à Bedford qu'au dauphin, et à Philippe le Bon qu'à Dunois.

Saint-Pierre-le-Moûtier et réussit difficilement. Il est alors décidé d'attaquer la résidence principale de Perrinet-Gressart, c'est-à-dire La Charité-sur-Loire. Jeanne semble avoir eu conscience de la faiblesse des atouts royaux, car on a le témoignage d'une lettre qu'elle écrivit aux habitants de Clermont pour leur demander une aide et, chose plus précieuse, l'original de la lettre qu'elle écrivit de Moulins à ceux de Riom. Elle leur demande leur bienveillance et surtout, «pouldres, salepestre, souffre, trait, arbelestres fortes et d'autres habillements de guerre». Or cette lettre porte la signature personnelle de Jeanne : signature assez malhabile, il y a cinq jambages au lieu de quatre pour les deux *n* du nom de Jeanne, mais cela nous laisse entendre qu'en ce mois de novembre elle

a appris probablement à lire, peut-être à écrire, sûrement à signer son nom. Elle qui déclarait en arrivant à Chinon qu'elle ne savait «ni *a* ni *b*» a dû employer ses loisirs forcés à ces acquisitions.

Le siège de La Charité-sur-Loire, en dépit de ces préparatifs, échoua. L'hiver était précoce cette année-là et la fin de novembre était déjà glaciale. Après un mois de siège environ, il fallut se retirer en abandonnant bombardes et artilleries. Jeanne se retrouve pour Noël à Jargeau «en grande déplaisance», comme l'écrit Perceval de Cagny. On a l'impression que le roi décide alors de faire un geste à son endroit car il anoblit ses parents et ses frères. Jeanne, quant à elle,

L'échec du siège de La Charité et l'hiver précoce de cette année 1429 marquent pour Jeanne la fin de ses activités, qu'elle ne reprendra qu'au printemps 1430, cette fois comme chef de bande. On ne sait pas grand-chose des mois passés entre temps, si ce n'est, par les comptes de commune d'Orléans, qu'elle y fut invitée à un banquet. A son frère Pierre, qui n'avait cessé de combattre à ses côtés, la ville fit cadeau d'un pourpoint.

La lettre de Jeanne aux habitants de Riom – précieusement conservée depuis par la commune (à gauche) – est la première en date de celles qui portent sa signature. Elle avait écrit à d'autres villes comme Tournai ou Orléans, pour leur demander une aide matérielle, en hommes et en munitions. La cité d'Orléans, qui lui avait déjà prêté la grosse bombarde qui avait défendu le siège, lui avait fourni quelques «joueurs de couleuvrines» et quatre-vingt-neuf gens d'armes.

n'a jamais demandé d'autre faveur que l'exemption des taxes royales pour le village et les habitants de Domrémy. Ce qui fut acquis et demeura jusqu'à la Révolution de 1789.

Les registres de la municipalité d'Orléans font mention d'un banquet auquel Jeanne a été invitée le 19 janvier 1430 en même temps que son frère Pierre, qui l'a accompagnée dans tous ses combats

et plus tard sera fait prisonnier en même temps qu'elle. Il semble que le reste du temps Jeanne ait résidé surtout au château de Sully-sur-Loire. Par ailleurs, le roi vient s'y installer le 15 février.

Les hostilités du duc de Bourgogne

Charles VII semble avoir eu dès lors quelques inquiétudes au sujet du duc de Bourgogne. Ce dernier ne se pressait aucunement de réunir la conférence de paix à laquelle devaient aboutir les trêves si généreusement consenties par le roi de France. Bien au contraire, il entreprenait en Champagne une vaste offensive et exigeait que lui soient remises, sans délai comme sans contrepartie, ces villes de l'Oise qui lui

En 1429, Charles VII anoblit Jeanne. Cet acte est une copie du XVIᵉ siècle. La miniature évoque la remise de la lettre de noblesse à Jeanne : il y était précisé qu'en ce cas particulier la noblesse serait transmise en lignée féminine et masculine.

avaient été promises imprudemment par Charles VII. Or l'une de ces villes, Compiègne, refusait obstinément d'ouvrir ses portes au duc de Bourgogne. Dans le pays, les mouvements de résistance semblent se réveiller avec le printemps. Saint-Denis chasse sa garnison bourguignonne, Melun en fait autant avec sa garnison anglaise et, à Paris même, un vaste complot, malheureusement découvert, est suivi de six exécutions capitales. A deux reprises, Jeanne écrit durant ce mois de mars, le 16 et le 28, aux habitants de Reims qui ont manifesté leurs craintes devant les hostilités déclarées du Bourguignon.

On imagine assez en ce printemps 1430 les deux personnages qui se côtoient au château de Sully-sur-Loire : ils se croisent et s'évitent. Le roi, qui continue à croire ou feint de croire aux promesses de paix bourguignonnes, et Jeanne, de plus en plus impatiente de répondre à l'hostilité par l'action, d'achever ce qu'elle a commencé, et si triomphalement mené à bien, l'année précédente.

Le roi confère des armes à Jeanne : une épée en pal dans une couronne et deux fleurs de lys d'or, sur champ d'azur.

Le château de Sully a conservé jusqu'à nos jours ses douves et ses fossés. On voit ici le vieux château de la fin du XIVe siècle, celui que connut Jeanne, avec ses deux tours. Les autres corps de logis sont postérieurs, et datent, pour la plupart, du temps où le fief fut celui de Maximilien de Béthune, duc de Sully et ministre d'Henri IV. Au XVe siècle, ce château appartenait à La Trémoille, favori de Charles VII. Jeanne a dû y passer une partie de l'hiver 1430. C'est de là qu'elle repartira, au mois d'avril, escortée de deux cents Piémontais, sous la conduite du routier Barthélemy Baretta, qu'elle avait personnellement engagé.

Jeanne chef de bande

Un jour, finalement, elle n'y tient plus. Elle quitte le château après avoir engagé, certainement sur ses propres deniers, un chef de routiers, Barthélemy Baretta, avec deux cents Piémontais. Son inquiétude va aux gens de Compiègne dont le loyalisme l'émeut. Certaines villes en effet, comme Soissons, hésitaient encore entre le duc et le roi, refusant parfois de laisser entrer des gens d'armes. Elle quitte Sully en cachette ou presque. De sa maison militaire, elle n'a conservé que Jean d'Aulon, son intendant, et aussi son frère Pierre : elle n'est plus chef de guerre mais chef de bande.

Elle fait route vers l'Ile-de-France, à Melun qui vient de chasser sa garnison anglaise, puis vers Lagny où trouve place un épisode émouvant. On la supplie de venir aider ceux qui entourent un nouveau-né sur le point de mourir, un petit-enfant qui depuis trois jours n'a pas donné signe de vie, dont Jeanne elle-même dira plus tard : «Il était noir comme ma cotte.» Jeanne se joint aux prières de la mère et des jeunes filles de la ville qui l'entourent. L'enfant semble se ranimer. Il bâille à plusieurs reprises. Il reçoit le baptême avant de mourir et d'être enterré en terre

Ce bassinet atteste qu'au XVᵉ siècle encore on attache plus d'importance aux moyens de défense que d'attaque : depuis l'arrivée, vers 1326, de la poudre à canon sur les champs de bataille – le premier usage notable d'une bombarde n'eut lieu que vingt ans plus tard, à Crécy –, le soldat, que sa cotte de mailles suffisait à protéger des flèches, est devenu une forteresse qu'on tente de rendre invulnérable. Cette miniature, tirée des *Vigiles du roi Charles VII*, montre les diverses armes de trait de l'époque : lances et javelots et, au premier plan, l'arbalète à traits à laquelle les Français restent attachés. Elle avait été interdite au XIIᵉ siècle comme trop meurtrière. Les Anglais ont adopté l'arc long, avec lequel on tire cinq flèches tandis que, dans le même temps, on n'envoie qu'un seul trait d'arbalète.

chrétienne. Episode touchant, le seul qui, remarquons-le, a été imputé comme un fait miraculeux dans l'action de Jeanne. Plus tard, au procès, on devait lui demander «s'il ne fut point dit par la ville que cette ré-suscitation lui était due, et venait de sa prière». A quoi Jeanne allait répondre simplement : «Je ne m'en enquérai point.»

«Je durerai un an, guère plus»…

A ce moment-là, Jeanne a reçu une révélation «étant dans les fossés à Melun qu'elle serait prise avant qu'il fût la Saint-Jean». Elle qui avait dit l'année précédente en arrivant à Chinon «Je durerai un an,

guère plus» sait désormais que la fin de sa vie active est proche. La Saint-Jean, le 24 juin suivant.

En fait, elle n'ira pas jusqu'à cette date. Son intention est de gagner Compiègne que le duc de Bourgogne est en train d'investir. Elle y entre le 23 mai «à heure secrète du matin» et aussitôt prépare une attaque contre une des bastides bourguignonnes installée à Margny pour le siège de la ville. L'attaque menée dans l'après-midi a failli réussir mais les assaillants bourguignons retranchés non loin, à Clairoix et à Venette, entendent le tumulte et viennent au secours des leurs à Margny. Les Français,

Jeanne entourée de villageois fait penser à ce jour où, à Lagny, on lui attribua le retour à la vie d'un enfant mort sans baptême. Ce seul miracle est un hommage à la prière, incessante, de Jeanne. Son page, Louis de Coutes, dira au procès de réhabilitation qu'elle priait «tantôt la tête levée, tantôt la tête penchée».

« Son semblant seulement [c'est-à-dire "rien que son allure"] le jugeait empereur, et valait de porter couronne sur les grâces de nature », c'est ainsi que le chroniqueur Georges Chastellain décrit Philippe le Bon, duc de Bourgogne. Les divers portraits dus à Roger Van der Weyden (ci-contre) et à plusieurs de ses élèves ne le démentent pas. « Droit comme un jonc, fort d'échine et de bras, et de bonne croisure », le grand duc d'Occident, sous son front large, a « le regard aigu, sous ses sourcils dont les coins se dressaient comme cornes en son ire ». Il porte ici, sous le chaperon artistement drapé – noir, car il a porté toute sa vie le deuil de son père –, le collier de l'ordre de la Toison d'or, qu'il a fondé lors de ses épousailles avec Isabelle de Portugal le 7 janvier 1430. On sait la devise qu'il prit alors : « Autre n'aurai / Dame Isabeau tant que vivray ». Mort en 1467, il aura régné sur un territoire qui allait de Dijon à la Hollande, incluant Belgique et Luxembourg. « Je veux qu'on sache que si je l'eusse voulu, j'eusse été roi. »

pour ne pas être débordés, refluent vers les portes de la ville. Jeanne, à son habitude, défend alors la retraite. Or on ferme la porte de l'enceinte avant qu'elle ait pu l'atteindre. Y eut-il trahison ? Il faut remarquer qu'il s'agit bien de la porte de l'enceinte et non de la porte de la ville. Ce qui a fait dire à nombre d'historiens que Guillaume de Flavy, le défenseur de Compiègne qui sans doute voyait venir Jeanne à contrecœur, aurait fermé la porte. La question reste douteuse.

Jeanne prisonnière

Toujours est-il que Jeanne est faite prisonnière par le bâtard de Wandomme, un lieutenant de Jean de Luxembourg, lequel est vassal de Philippe de Bourgogne. Or Philippe le Bon lui-même se trouve aux alentours de Compiègne où il est venu activer les préparatifs du siège. Alerté par les cris poussés dans l'armée, il accourt et, le soir même, a une entrevue avec Jeanne prisonnière.

«Ceux du parti de Bourgogne, les Anglais, furent très joyeux [...] car ils ne craignaient et redoutaient ni capitaines ni autres chefs de guerre tant qu'ils l'avaient fait jusqu'à ce jour de cette Pucelle.» «Le duc vint la voir au logis où elle était et lui dit quelques paroles dont je ne me souviens pas très bien, bien que j'y aie été présent.» C'est le chroniqueur officiel du duc, Enguerrand de Monstrelet, qui parle. Sa mémoire se trouve curieusement prise en défaut à propos de cette entrevue qui dut être saisissante entre le «grand-duc» d'Occident et la petite paysanne. Cependant, Charles VII, demeuré sur les bords de Loire, ne semble pas s'être manifesté : à aucun moment il n'a proposé de rançon pour racheter Jeanne.

En ce mois de mai 1430 commence le second volet de la vie publique de Jeanne qui va durer un an, comme le précédent. Un an de prisons pour cette fille de grand air et de chevauchée.

La défense désespérée de Jeanne est évoquée dans cet ivoire et dans ce bas-relief, comme elle l'est par Chastellain : «La Pucelle, passant nature de femme, soutint grand fait et mit beaucoup de peine à sauver sa compagnie de perte, demeurant derrière comme un chef et comme le plus vaillant du troupeau.

Un archer la prit de côté par sa huque de drap d'or et la tira du cheval, toute plate à terre.»

Entrée en scène de l'Inquisition

Tout à l'exultation de cette capture, le duc de
Bourgogne allait aussitôt en informer ses sujets et les
princes de son entourage. La nouvelle de la capture
de Jeanne fut «criée» dans Paris le 25 mai. Et comme
il en avait été de la libération d'Orléans, elle fut
enregistrée le même jour sur le registre du Parlement
de Paris. Or c'est du 26 mai qu'est datée une autre
lettre, celle-là émanant de l'université de Paris. Elle
s'adresse au duc, au nom de l'inquisiteur de France,
pour que Jeanne lui soit livrée. Il y avait déjà eu un
pamphlet composé contre Jeanne par un universitaire
parisien, au mois de juin 1429, avant même le
couronnement du roi. C'est un autre universitaire,
Jean Gerson, qui lui avait répondu. Il avait été rayé
des cadres de l'université parisienne à cause de son
loyalisme, et vivait désormais à Lyon. Répondant
au pamphlet de l'universitaire inconnu, contenant
des accusations d'hérésie et de sorcellerie, il avait
démontré que les victoires et le comportement de
Jeanne n'avaient rien qui fleurait l'hérésie.

De Beaulieu à Beaurevoir

Jeanne est transférée, sans doute ce même jour du
26 mai, au château de Beaulieu-les-Fontaines, à une
dizaine de kilomètres de Noyon. Elle n'y fera qu'un
court séjour, marqué par une tentative d'évasion qui
faillit réussir : profitant de travaux faits au château,
elle dissimule son visage «entre deux pièces de bois»
et parvient à enfermer ses propres gardiens dans la
cour. Mais le portier la reconnaît et fait échouer la
tentative. Dès la première quinzaine du mois de juin
1430 elle fut donc transférée au château de
Beaurevoir, qui appartenait à la famille de
Luxembourg, à une soixantaine de kilomètres de
Beaulieu. Puissante forteresse, dont il ne reste qu'une
tour et quelques murs, mais qui, à l'époque, était
habitée par trois femmes, nommées Jeanne : Jeanne
de Luxembourg, la tante de Jean dont dépendait la
prisonnière, Jeanne de Béthune son épouse et Jeanne
de Bar, fille d'un premier mariage de celle-ci avec
Robert de Bar, tué à Azincourt.

J ean de Luxembourg
(ci-dessus) était
suzerain du bâtard de
Wandomme, à qui
Jeanne avait remis son
épée lors de sa prise à
Compiègne. Il était
aussi le vassal du duc
de Bourgogne et
combattait aussi à
Compiègne (le siège
devait finalement être
levé le 24 octobre
1430). Jean de
Luxembourg dut alors
quitter la place
«honteusement»,
précise le chroniqueur
Enguerrand de
Monstrelet, en
abandonnant ses
bombardes.

R ubens est à peu
près seul en son
temps à avoir
représenté Jeanne en
armure, le casque
empanaché à peine
visible derrière elle. Il
la montre agenouillée,
en prière, ses gantelets
à terre. On dit que ce
tableau figurait dans la
chambre où il mourut.

Jeanne et les trois Jeanne

Jeanne dut passer un peu plus de quatre mois dans ce château de Beaurevoir, et il est réconfortant de penser à l'attitude de ces trois femmes qui ont su témoigner quelque humanité à la prisonnière qu'elle était. Elle a d'ailleurs fait une nouvelle tentative d'évasion, sans doute après avoir eu de mauvaises nouvelles du siège de Compiègne. Elle tente de s'échapper en descendant le long des murs par une corde faite de draps tordus ensemble. Mais la «corde» cède et elle tombe dans le fossé où on la relève évanouie. Il semble que Jean de Luxembourg ait longtemps hésité avant de livrer sa prisonnière aux Anglais contre rançon comme il en était pressé par Pierre Cauchon, le négociateur du traité de Troyes, traité qui lui avait valu l'évêché de Beauvais. Peut-être une partie de ces hésitations de Jean de Luxembourg lui venaient-elles de sa tante Jeanne. Celle-ci, émue par la Pucelle, aurait menacé son neveu de le déshériter s'il la livrait aux Anglais. Mais elle meurt en Avignon où elle s'est rendue au début de septembre. Dès lors, son influence cesse de s'exercer.

Entre temps, Pierre Cauchon n'est pas resté inactif : le 30 septembre 1430, il reçoit, sur les comptes du roi d'Angleterre, la coquette somme de 765 livres tournois que lui verse le receveur général de Normandie, Pierre Surreau. Cela pour les cent cinquante-trois jours où «il a vaqué au service du roi notre seigneur [entendons le roi d'Angleterre], pour ses affaires tant en la ville de Calais qu'en plusieurs voyages en allant vers Monseigneur le duc de Bourgogne ou vers Messire Jean de Luxembourg en Flandre, au siège devant Compiègne, à Beaurevoir pour le fait de Jeanne qu'on dit la Pucelle».

Dix mille livres tournois… «pour avoir Jeanne»

Le même Pierre Surreau a versé à Jean de Luxembourg une somme de dix mille livres tournois «pour avoir Jeanne qui se dit la

Pucelle, prisonnière de guerre». La somme a été remise le 6 décembre à Jean de Luxembourg. La remise de la prisonnière aux Anglais devait avoir lieu à Arras, probablement dans la première quinzaine de novembre. Le 21 de ce mois, l'université de Paris écrivait pour manifester sa joie au «très excellent prince, le roi de France et d'Angleterre». «Nous avons nouvellement entendu qu'en votre puissance est rendue à présent cette femme dite la Pucelle, ce dont nous sommes fort joyeux, confiants qu'en votre bonne ordonnance cette femme sera mise en justice pour réparer les grands maléfices et scandales advenus notoirement en votre royaume à l'occasion d'elle, au grand préjudice de l'honneur divin de notre sainte foi et de tout votre bon peuple.»

Un procès pour hérésie

Mais là ne s'arrêtaient pas les efforts de Pierre Cauchon qui fait successivement décider que le procès de Jeanne serait mené par lui, qu'il obtiendrait une délégation de territoire pour ce faire, car il n'était pas question pour lui de rentrer dans son évêché de Beauvais qui s'était rendu au roi de France, et qui tout aussitôt se met en devoir de mettre en place tous les éléments du procès qu'il compte bien faire à Jeanne, entre autres en faisant venir de Paris six universitaires pour l'assister et convaincre Jeanne d'hérésie. Il semble que la prisonnière ait été conduite avec étape à Drugy près de l'abbaye de Saint-Riquier jusqu'au Crotoy, de là à Saint-Valéry-sur-Somme, et ensuite par Arques et Bosc-le-Hard jusqu'au château de Bouvreuil qui dominait la cité de Rouen. Elle dut y arriver la veille de Noël.

Le mémorial de Bonsecours, où s'élève cette statue de Jeanne enchaînée, domine la ville de Rouen et la vallée de la Seine. Il a été achevé en 1892. Ci-dessus, la tour de Beaurevoir, unique reste du château de Luxembourg. Jeanne y demeura environ quatre mois, tandis que Cauchon et l'université de Paris s'activaient pour qu'elle soit remise entre les mains du roi d'Angleterre et qu'un procès d'hérésie lui soit fait par leurs soins. Rares sont les représentations de Jeanne lors de sa chute, quand elle tentait de s'évader de Beaurevoir.

C'est un procès d'hérésie que Pierre Cauchon, et avec lui l'université de Paris, entend faire à Jeanne. De tels procès sont alors menés par l'Inquisition, instituée en 1231. Il s'agit avant tout de prouver que le roi de France a été couronné par les artifices d'une sorcière – en tout cas d'une hérétique. Les procès de sorcellerie sont rares à l'époque. Il faudra attendre le XVIe siècle pour les voir proliférer.

CHAPITRE V
ROUEN

Cette miniature est la seule à montrer Jeanne devant ses juges ; en fait, il n'y en avait que deux : l'évêque et l'inquisiteur. Les autres personnages sont des assesseurs, qui n'avaient qu'une voix consultative. A gauche le bûcher, les soldats, la foule et, à l'arrière-plan, les maisons de la place du Vieux Marché de Rouen ; bientôt s'élèvera le cri suprême : «Jésus!».

Dans le cas de Jeanne, la nécessité d'un tel procès est politique : un sacre mené sous l'égide d'une hérétique, voilà qui peut affaiblir l'effet produit par ce couronnement que l'autorité anglaise ne peut accepter. Le traité de Troyes avait donné la double couronne de France et d'Angleterre au descendant présumé d'Henri V de Lancastre et de Catherine de France. Que le dauphin, «petit roi de Bourges», ait osé recevoir le titre et la couronne, c'était insupportable, et cela avait profondément influencé l'esprit des Français. C'est donc sur les esprits qu'il fallait agir. Rien de plus propre à faire déconsidérer le roi nouvellement sacré que de montrer qu'il devait son sacre à une hérétique.

Le «beau procès» de Cauchon

Pour un procès d'Inquisition, il fallait deux juges : l'évêque, dans le diocèse duquel la faute a été commise et proclamée, et l'inquisiteur. On a vu que la désignation de Cauchon comme juge avait dépendu de quelque subterfuge. L'inquisiteur de France était alors Jean Graverent, tout acquis à la cause anglaise, comme en général les «têtes pensantes» de l'époque. Il désigne pour vicaire le dominicain Jean Lemaître qui manifestement chercha toutes les excuses pour ne point figurer dans ce procès. Celui-ci est ouvert le 9 janvier 1431 ; or le 20 février, Lemaître n'a pas encore répondu aux convocations de Cauchon. Rappelé à l'ordre, il s'y rend une fois, ne reparaît que le 13 mars, et n'intervient jamais.

En dehors des juges, un procès d'Inquisition comporte des assesseurs qui n'ont qu'une voix consultative. En plus des six universitaires

Que faisait Charles VII (en haut à gauche) tandis que se poursuivaient les tractations à propos de Jeanne prisonnière ? Aucun témoignage sérieux ne permet de penser qu'il a tenté un effort quelconque pour la libérer.

Ce coup d'œil sur la cité de Rouen montre bien l'abbaye de Saint-Ouen où, le 24 mai 1431, se déroulera une scène décisive, qui va permettre de condamner Jeanne au bûcher, comme relapse.

Cette miniature montre, dans une mise en scène imaginaire, les personnages intéressés par la capture de Jeanne, amenée au premier plan. Le roi, trônant sur le fauteuil à haut dossier, est vêtu d'un manteau mi-parti – fleurs de lys d'or sur champ d'azur d'un côté, léopards d'or sur champ de gueules de l'autre. Les mêmes armoiries figurent sur les blasons, avec une place primordiale donnée aux armes de France. A gauche, l'évêque de Beauvais, Pierre Cauchon, et l'inquisiteur de France, les instruments du pouvoir du «roi de France et d'Angleterre».

parisiens que Cauchon a convoqués, et qui joueront un rôle très actif, sont convoqués nombre de prélats de Normandie, d'Angleterre, des chanoines de Rouen, des avocats du tribunal ecclésiastique, etc. De tels procès doivent comporter plusieurs phases : d'abord le procès «d'office», que nous appellerions l'instruction, avec enquêtes et interrogatoires. Celui de Jeanne se déroule du 9 janvier au

26 mars. Suit le procès «ordinaire» qui commence par les «admonitions charitables» : on tente d'amener le coupable à la pénitence par des exhortations ; s'il y a eu commencement de preuve, c'est alors qu'est appliquée la torture. Ce procès ordinaire durera, dans le cas de Jeanne, jusqu'au 24 mai. Il sera suivi les 28 et 29 mai par le procès de relapse, Jeanne ayant été convaincue d'être retombée dans ses «erreurs». Seuls les relaps pouvaient être condamnés au bûcher.

Un procès régulier?

Cauchon s'est vanté de mener «un beau procès», respectant intégralement les formes requises. En fait, on y relève des irrégularités majeures : il y a bien eu procès d'office, et des témoignages ont été recueillis, à Domrémy par exemple, mais les résultats étant favorables à Jeanne, on n'en a pas tenu compte. Contrairement aux usages de l'Inquisition, Jeanne n'a pas eu d'avocat et a dû se défendre seule devant un tribunal qui comportait jusqu'à soixante assesseurs. Ensuite et surtout, un procès d'hérésie aurait dû être mené en prison ecclésiastique où l'accusée aurait dû être gardée par des femmes. Or Jeanne, qui porte des fers aux chevilles, est détenue en tant que prisonnière de guerre, et gardée en prison anglaise. Les interrogatoires, qui ont lieu d'abord en public, comme il était normal, dans la chapelle du château de Rouen, sont menés à partir du 8 mars à huis clos et dans la prison même, ce qui est contraire aux règles de l'Inquisition. Au début du procès, Jeanne est soumise à un examen de sa virginité, sous le contrôle de la duchesse de Bedford, sœur de Philippe le Bon. C'est elle qui désigna les matrones qui allaient procéder à cet examen. Jeanne fut reconnue vierge, mais chose curieuse, le procès-verbal ne figure pas dans le texte du procès. La duchesse de Bedford donna l'ordre aux geôliers anglais de ne pas se livrer à des violences sur la personne de Jeanne.

Jeanne insultée par les Anglais : une prisonnière de guerre livrée aux sarcasmes de ses geôliers.

A questions fumeuses, paroles limpides

Ce qui va être totalement inattendu, c'est le comportement de Jeanne devant ceux qui l'interrogent – tous universitaires de haut niveau, experts en théologie, en droit civil et canonique. Cauchon pouvait penser qu'avec de tels experts il serait facile d'amener la petite paysanne à être confondue pour propos hérétiques ou à se trouver en contradiction avec elle-même, ou avec l'Eglise. Or il allait être déçu. Quand il veut lui faire prêter serment, elle répond : «Je ne sais sur quoi vous voulez m'interroger. Peut-être pourrez-vous me demander des choses que je ne vous dirai pas.» Et quand il ajoute : «Nous vous interdisons de quitter sans notre permission les prisons qui vous ont été assignées dans le château de Rouen, sous peine d'être convaincue de crime d'hérésie», elle riposte : «Je n'accepte pas cette défense. Si je pouvais m'échapper, on ne me pourrait reprendre d'avoir faussé ou violé ma foi.» Ses réponses sont d'une pertinence qui désarme les habiletés les plus consommées. La plus convaincante est celle à propos de l'état de grâce : «Etes-vous en état de grâce ?

De part et d'autre de cette scène «troubadour», deux rappels de ce que fut en réalité la prison de Jeanne : à gauche, une salle de la tour du château de Bouvreuil ; ci-dessous, l'unique donjon subsistant de ce château, construit par Philippe Auguste. Il semble, d'après des indications que l'on trouve dans le texte des procès, que Jeanne ait été emprisonnée dans une salle du premier étage, munie de trois renfoncements dans l'épaisseur des murailles : l'un où s'ouvrait une fenêtre, le second donnant accès à une latrine, le troisième donnant sur l'escalier. C'est là que certaines gens furent postées sur l'ordre de Cauchon pour écouter les confidences de Jeanne – à Nicolas Loiseleur, par exemple, qui se faisait passer pour un ami venu des «marches de Lorraine», et qui tentait ainsi de capter sa confiance.

« – Si je n'y
suis, Dieu m'y
mette, et si j'y
suis, Dieu m'y garde,
car je serais la plus
dolente du monde si je savais
n'être pas en la grâce de Dieu.»
Or c'était une question piège : en
répondant non, Jeanne se condamnait elle-
même ; en répondant oui, elle ne se condamnait pas
moins car elle se plaçait hors du jugement de l'Eglise.
C'est en effet sur ce point de la fidélité à l'Eglise
qu'on pensait la réduire le plus aisément, mais Jeanne
évite très naturellement ce qui pourrait amener
présomption de désobéissance : «Vous en rapporterez-
vous pour vos dits et vos faits à la détermination de
l'Eglise ? – Je m'en rapporte à Dieu qui m'a envoyée,
à la Sainte Vierge et à tous les saints et saintes du
paradis, et m'est avis que c'est tout un et même chose
de Dieu et de l'Eglise et que de cela on ne doit faire
difficulté.» Autre question du tribunal : «Croyez-vous
que vous n'êtes pas soumise à l'Eglise de Dieu qui est
sur terre, c'est-à-dire à Notre Seigneur le Pape, aux
cardinaux, archevêques, évêques et autres prélats de
l'Eglise ?» A quoi Jeanne répondra : «Oui,

Chaque séance a
comporté, d'après
les procès-verbaux des
notaires, une
quarantaine
d'assesseurs :
universitaires, moines,
chanoines de Rouen
ou de la région ; parfois
même un abbé, comme
Robert Jolivet (un
«collaborateur» qui
avait fui son abbaye
du Mont Saint-Michel,
laquelle résista
pendant quarante ans
aux Anglais), ou Gilles
de Duremort, abbé de
Fécamp. «Une partie
de ceux qui assistaient
au procès le faisaient
volontairement, [...]
les autres étaient forcés
[...] et montraient
beaucoup de crainte»,
dira plus tard Richard
du Grouchet, chanoine
du diocèse d'Evreux,
qui avait lui-même été
menacé. On convoqua
en tout cent treize
assesseurs.

notre Sire premier servi.»
Elle repousse presque
dédaigneusement les
questions touchant à la
sorcellerie : «Qu'avez-vous
fait de votre mandragore ?
– Je n'ai pas de mandragore et je n'en ai jamais eu. [...]
J'ai entendu dire que c'est chose à faire venir l'argent
et je ne crois pas à cela.» Et lorsqu'on tente de la
confondre à propos de l'arbre des Fées à Domrémy, les
juges n'attirent qu'une réponse pleine de poésie : «J'ai
vu mettre [des] guirlandes aux branches de l'arbre par
les jeunes filles, et quelquefois moi-même j'en ai mis
avec les autres. [...] Je ne sais pas si depuis que j'ai eu
discernement j'ai dansé auprès de cet arbre ; j'ai bien
pu danser avec les enfants, mais j'y ai plus chanté que
dansé.»

Quand, passant du soupçon de sorcellerie à celui
de superstition, on lui demande pourquoi elle baisait

Les notaires
– Guillaume
Manchon, assisté
de Nicolas Taquel
et de Boisguillaume –
notaient en français,
sur leur «minute»
(ci-dessus), les
questions des
assesseurs et les
réponses de Jeanne.
Le tout fut ensuite
transcrit en latin sur
le registre officiel
du procès.

parfois l'anneau que lui avaient donné ses parents,
elle répond : «Par plaisance, et pour l'honneur de
mes père et mère.» A propos de ses apparitions, elle
répond avec un sens de l'humour imperturbable :
«En quelle figure était saint Michel quand il vous est
apparu ? Etait-il nu ? – Pensez-vous que Dieu n'ait pas
de quoi le vêtir ?» Ou encore : «Avait-il des cheveux ?
– Pourquoi les lui aurait-on coupés ?» Ou encore plus
profondément : «Vos voix ne vous ont-elles rien dit
[quant à l'issue de son procès]? – Ce n'est pas de votre
procès. Je m'en rapporte à Notre Seigneur qui en fera
son plaisir. Je ne sais ni l'heure ni le jour, le plaisir de
Dieu soit fait.»

Les notaires ont
parfois porté sur
leur registre, en marge
du texte principal,
leurs réactions
personnelles aux
réponses de Jeanne :
responsio superba
(ci-dessous), a noté
l'un d'entre eux,
ce qui signifie «réponse
orgueilleuse»; un peu
plus loin, on trouve
responsio mortifera,
c'est-à-dire «réponse
mortelle».

La compagnie des voix

Ceux qui ont conduit le procès nous auront, sans
le savoir, livré le document le plus convaincant sur
Jeanne. Les chroniqueurs ont raconté les événements,
mais du procès se dégage
la personne.

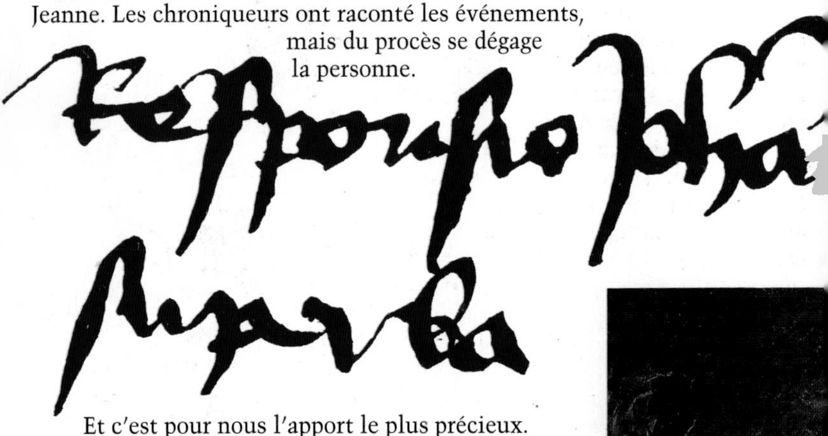

Et c'est pour nous l'apport le plus précieux.
Les réponses de Jeanne, dans leur limpidité,
anéantissent les accusations et contradictions
destinées à la confondre.

«Qu'aimiez vous mieux, votre étendard ou votre
épée ? – J'aimais beaucoup mieux, voire quarante fois,
mon étendard que mon épée.» Et encore : «Je prenais
moi-même l'étendard quand nous allions à l'assaut
pour éviter de tuer personne. Je n'ai jamais tué
personne. [...] – L'espoir d'avoir victoire était-il fondé
sur l'étendard ou sur vous-même ? – Il était fondé en

notre Seigneur, et non ailleurs.» Et en ce qui concerne ses voix, on est surpris de la simplicité avec laquelle elle en parle : «Que faisiez-vous hier au matin quand vous avez ouï cette voix ? Je dormais et la voix m'a éveillée. – L'avez vous remerciée ? Vous êtes-vous agenouillée ? – Je l'ai remerciée, mais en m'asseyant sur mon lit.» Et cette autre confidence : «Il n'est jour que je ne l'entende. Et même j'en ai grand besoin. […] Je voudrais que chacun l'entendît aussi bien comme moi.» Lorsqu'on lui demande si ses voix lui ont dit ce qui lui arriverait : «Sainte Catherine m'a dit que j'aurais secours. […] "Et après, me disent mes voix, prends tout en gré, ne te chaille de ton martyre, tu t'en viendras enfin au royaume de Paradis."
– Depuis que les voix vous ont dit que vous iriez enfin au royaume de Paradis, vous tenez-vous pour assurée d'être sauvée et de n'être point damnée en enfer ? – Je crois fermement ce que mes voix m'ont dit, à savoir que je serai sauvée, aussi fermement que si j'y étais déjà».

A l'heure de sa jeunesse puis de ses victoires, comme à celles de ses échecs et, ce qui est le plus frappant, jusque dans sa prison, il semble que Jeanne n'ait jamais perdu le secours de ses voix. Quand les juges lui demandent si ses voix lui ont révélé si elle serait sauvée, elle répond : «Sainte Catherine m'a dit que j'aurais secours, mais je ne sais si ce sera en étant délivrée de prison.»

A utre réponse impressionnante. A la question : «Etes-vous assurée d'être sauvée ?» Jeanne répond : «Je crois fermement ce que mes voix m'ont dit, à savoir que je serai sauvée, aussi fermement que si j'y étais déjà. – Cette réponse est de grand poids. – Aussi je la tiens pour un grand trésor.»

L'habit d'homme en question

Le procès traîne en longueur. Après chaque séance, on peut penser qu'un certain découragement devait surprendre Cauchon et ses assesseurs. Cette fille insolente avait réponse à tout : impossible de déceler quelque insoumission à l'Eglise qui puisse la rendre passible d'hérésie. Si bien qu'à la fin du mois de mars les chefs d'accusation sont peu à peu ramenés à un

Les témoins interrogés au procès de réhabilitaion attestent la pertinence des réponses de Jeanne. Nicolas Taquel déclare : «Certains, parmi les docteurs et assistants, lui disaient parfois : "Vous dites bien, Jeanne"».

seul qui nous paraît ridicule : l'habit d'homme.
Jeanne répond de façon péremptoire : «Cet habit ne
charge pas mon âme et le porter n'est pas contre
l'Eglise.» Ainsi se termine l'instruction, le 25 mars.
La question de l'habit, en soi insignifiante – on avait
vu les habitants de Vaucouleurs offrir à
Jeanne des vêtements d'homme pour
chevaucher, ce qui leur paraissait tout
naturel –, va devenir primordiale, Cauchon
en ayant fait le signe d'une insoumission à
l'Eglise.

Les admonitions charitables

Le 27 mars, on commence à lire à Jeanne, en
fait d'admonitions, les soixante-dix articles
tirés de ses réponses. Ce sont en fait des
accusations que Jeanne se contente de nier.
Ainsi est-elle accusée de porter une
mandragore, à quoi elle répond : «Je le nie
absolument.» Par la suite, ces accusations seront
réduites à douze, en un libelle dont le notaire
Guillaume Manchon dira qu'il ne fut pas lu à Jeanne.
Elle est admonestée de prendre habit de femme, ce
qu'elle refuse. Sommée de dire par quelles paroles elle
requiert l'aide de Dieu, elle répond par cette prière :
«Très doux Dieu, en l'honneur de votre sainte
passion, je vous requiers, si vous m'aimez, que vous
me révéliez comment je dois répondre à ces gens
d'église. Je sais bien, quant à l'habit, le
commandement comment je l'ai pris ; mais je ne sais

C'est sans doute
dans ce donjon
(page de gauche) que
Jeanne fut menacée
de torture. Le bourreau,
Maugier Leparmentier,
l'a raconté : «Elle fut
interrogée alors quelque
peu. Et elle répondait
avec beaucoup de
prudence, tant que les
assistants s'en
émerveillaient ; enfin
nous nous retirâmes,
mon compagnon et
moi, sans avoir attenté
à sa personne.» Sur la
page finale du procès
(ci-dessous), on voit les
sceaux de Cauchon et
du notaire, Manchon.
Suivent quelques
feuillets qui ne portent

aucune signature : ce
sont les «Informations
posthumes». En effet,
le 7 juin 1431,
Cauchon a réuni des
témoins de la mort
de Jeanne, pour leur
faire attester qu'elle
avait «renié ses voix».
Manchon a refusé
de signer, et donc
d'enregistrer, ces
témoignages hors
procès et sans valeur.

point par quelle manière je le dois laisser. Pour ce, plaise vous me l'enseigner.»

Les Anglais s'impatientent

Au mois d'avril, Jeanne tombe malade, et c'est l'occasion pour le comte de Warwick, gouverneur de Rouen, de faire savoir que «pour rien au monde le Roi ne voulait qu'elle meure de mort naturelle». Le médecin de la duchesse de Bedford fut délégué pour la soigner. Warwick allait inviter à un grand dîner Cauchon, son compagnon l'évêque de Noyon, ainsi que Jean de Luxembourg et son frère Louis. C'était le 13 mai. Après ce repas, les choses vont se précipiter…

Le 24 mai, est organisée au cimetière Saint-Ouen une grande mise en scène : Jeanne comparaît devant un tribunal. Un sermon lui est fait par maître Guillaume Erard, maître de l'université de Paris et chanoine de Rouen, tandis qu'on dresse ostensiblement un bûcher non loin de là. Jeanne répondra aux exhortations de l'universitaire : «Je m'en rapporte à Dieu et à notre Saint Père le Pape.» Ce qui en un procès normal eût été suffisant pour interrompre la procédure, car ceux qui faisaient appel au pape devaient lui être conduits.

Jeanne abjure

Elle finit par tracer sur une cédule contenant son «abjuration» un signe incertain, le secrétaire du roi d'Angleterre lui tenant la main pour qu'elle trace cette signature. Cette cédule lui fut lue, les phrases étant répétées par elle. Les assistants devaient plus tard indiquer qu'il s'agissait d'un court texte, «six lignes de grosse écriture», par lequel elle s'engageait à ne plus porter armes, ni habits d'homme, ni cheveux rasés. Et ce n'est pas sans surprise qu'on trouve dans le texte du procès une très longue cédule dans laquelle Jeanne aurait renié ses apparitions, reconnu qu'elle avait blasphémé Dieu, ses saints et saintes, «porté habits dissolus, difformes et deshonnêtes contre la décence de nature», erré dans la foi, etc. Elle fut ensuite ramenée en prison.

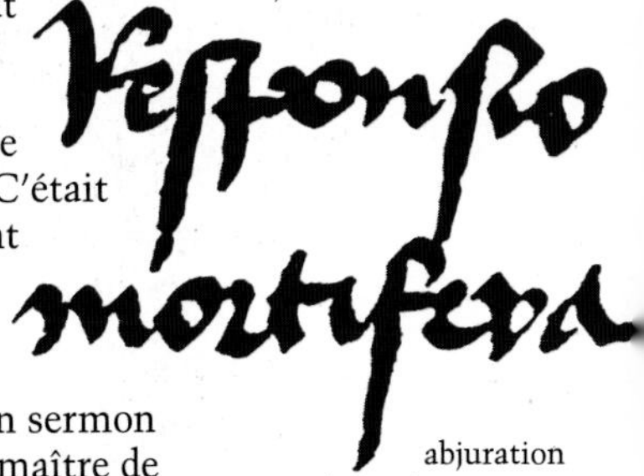

La mention *responsio mortifera* (ci-dessous) commente les propos de Jeanne lors de son interrogatoire du 28 mai : «Dieu m'a dit, par saintes Catherine et Marguerite, la grande pitié de la trahison que j'ai consenti en faisant

abjuration et révocation pour sauver ma vie».
La page du procès ci-contre, rédigée en français, est le texte de l'abjuration : il est suivi d'une traduction en latin. Est-ce bien ce texte qui fut lu à Jeanne ? L'huissier Jean Massieu atteste : «Je voyais bien que Jeanne ne comprenait pas cette cédule, ni le péril qui la menaçait.» Nicolas Taquel affirme qu'«il y avait environ six lignes de grosse écriture», commençant par «Je, Jehanne» (et non par «Toute personne qui a erré et mespris en la foy...», comme c'est le cas dans le registre du procès). Henri Beaufort (à droite), frère naturel de Henri IV de Lancastre, était dit le «cardinal d'Angleterre». Il a assisté à l'abjuration.

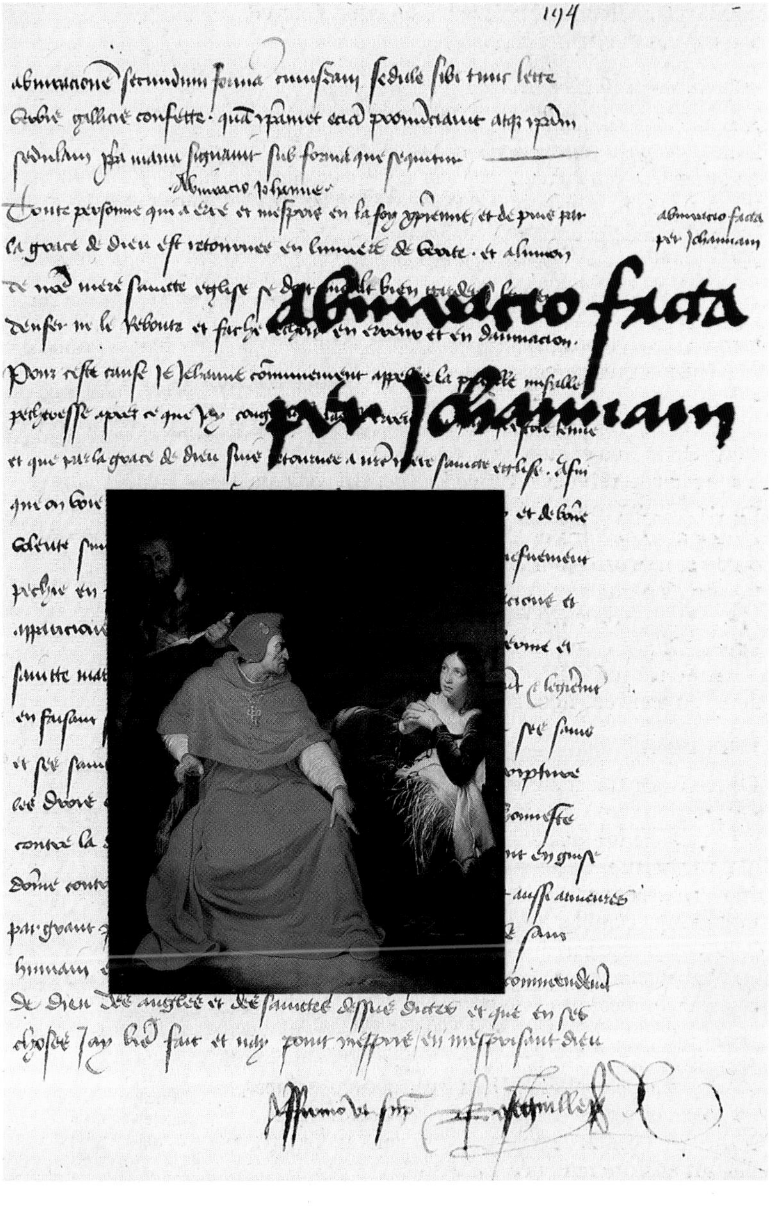

"Elle fut menée au Vieux Marché, et à côté d'elle étaient frère Martin [Ladvenu] et moi, accompagnés de plus de huit cents hommes de guerre ayant haches et glaives. Et elle [...], après la prédication, [...] montrait grands signes de sa contrition, pénitence et ferveur de la foi, par les pieuses et dévotes lamentations et invocations de la bénite Trinité, et de la bénite et glorieuse Vierge Marie, et de tous les bénits saints du paradis dont les juges assistants, et même plusieurs Anglais furent provoqués à grandes larmes et pleurs. Et à grande dévotion elle demanda à avoir la croix, et ce oyant, un Anglais, qui était là présent, en fit une petite en bois, du bout d'un bâton qu'il lui bailla, et dévotement la reçut et baisa, et mit cette croix en son sein, entre sa chair et ses vêtements, et outre demanda humblement que je lui fisse avoir la croix de l'église, afin que continuellement elle la pût voir jusqu'à la mort, et je fis tant que le clerc de la paroisse Saint-Sauveur la lui apporta dont le dernier mot, en trépassant, cria à haute voix : "Jésus".**"**

Jean Massieu,
huissier

On pouvait dès lors penser qu'elle ne tarderait pas à se trouver relapse, c'est-à-dire à reprendre ses habits d'homme. C'est ce qui se passe dès le surlendemain, et le 28 mai un interrogatoire a lieu dans la prison. Un frère dominicain, Martin Ladvenu, devait raconter plus tard que, sortant de prison, Cauchon «avisa le comte de Warwick et grande multitude d'anglais autour de lui, auxquels, en riant, il dit à haute voix : "Farewell, farewell, faites bonne chère, c'est fait".» Les principaux assesseurs sont convoqués le lendemain : tous, à l'exception de trois d'entre eux, déclarent qu'on doit expliquer à nouveau à Jeanne ce que contenait son abjuration, mais ils n'avaient que voix consultative et il n'était que trop facile à Cauchon de ne pas en tenir compte.

On avait coutume de coiffer les condamnés au feu d'une mitre indiquant l'objet de la condamnation. «Hérétique, relapse, apostate, idolâtre» : il est à noter que Jeanne ne fait pas l'objet d'une accusation de sorcellerie, contrairement à ce qui a souvent été dit et répété.

Jeanne au bûcher

Dès le lendemain, mercredi 30 mai, Jeanne était conduite au bûcher sur la place du Vieux Marché. «Le mercredi au matin, jour où mourut Jeanne, raconte l'huissier Jean Massieu, frère Martin Ladvenu l'entendit en confession, et [...] m'envoya à l'évêque de Beauvais pour lui notifier qu'il l'avait entendue en confession et qu'elle demandait que le sacrement de l'eucharistie lui soit donné. L'évêque [...] me dit de dire à frère Martin qu'il lui donne le sacrement de l'eucharistie et

heretique relapse apostate ydolatre

Cette miniature est fidèle aux récits des témoins de la mort de Jeanne. On peut facilement identifier les personnages : Jeanne attachée, en longue robe dont la couleur rouge, symbolique ici, traduit à la fois la notion de sacrifice et de feu; derrière elle le bourreau, Geoffroy Thérage, qui vint «l'après-midi de ce jour au couvent des frères prêcheurs et me dit, ainsi qu'à frère Martin Ladvenu, qu'il craignait beaucoup d'être damné, car il avait brûlé une sainte femme», raconte frère Isambard de la Pierre; devant à droite, Pierre Cauchon, à qui Jeanne semble dire : «Evêque, je meurs par vous!»; à côté, l'huissier Jean Massieu, reconnaissable à son bâton, et, tenant un crucifix, frère Martin Ladvenu.

tout ce qu'elle demandait.»
Aussitôt la sentence portée par l'évêque, et sans qu'il y ait eu aucune sentence portée par un laïc comme c'était la règle, elle fut conduite au feu.

Une fois dans les flammes, elle cria plus de six fois le nom de Jésus.

Frère Isambart de La Pierre, un des témoins, raconte : «La pieuse femme me demanda, requit et supplia, comme j'étais près d'elle en sa fin, que j'aille en l'église prochaine et lui apporte la croix pour la tenir élevée droit devant ses yeux jusques au pas de la mort, afin que la croix où Dieu pendit fut en sa vie continuellement devant sa vue. Etant dans la flamme, jamais elle ne cessa jusqu'en la fin de clamer et confesser à haute voix le saint nom de Jésus en implorant

sans cesse l'aide des saints et saintes du paradis.
Et, qui plus est, en rendant son esprit et inclinant
la tête, proféra le nom de Jésus en signe qu'elle était
fervente en la foi de Dieu.».

Des enquêtes à la réhabilitation

Dix-huit ans plus tard,
le 10 novembre 1449, dans
la Normandie reconquise,
Charles VII entre à Rouen.
On peut penser qu'il se fit
remettre le texte du procès
et qu'il vit de ses yeux la
prison de Jeanne et
l'emplacement du bûcher…
Le 15 février 1450, il dicte
à son conseiller
Guillaume Bouillé
l'ordre de faire une

« En son dernier souffle, elle cria d'une voix forte "Jésus", au point que tous les assistants purent l'entendre. Presque tous pleuraient de pitié et j'ai entendu dire que les cendres, après sa combustion, furent [...] jetées dans la Seine. »
Jean Massieu

« J'avais une fille, née en légitime mariage, que j'avais munie dignement des sacrements de baptême et de confirmation et avais élevée dans la crainte de Dieu et le respect de la tradition de l'Eglise, autant que le permettait son âge et la simplicité de sa condition, si bien qu'ayant grandi au milieu des champs et des pâturages elle fréquentait beaucoup l'église et recevait chaque mois, après due confession, le sacrement de l'Eucharistie. [...] Pourtant bien qu'elle n'ait jamais pensé, conçu ou fait quoi que ce soit qui l'écartât de la foi ou la contredit, certains ennemis [...] l'ont fait traduire en procès de foi et malgré ses récusations et appels – en un procès perfide, violent et inique, sans l'ombre de droit – l'ont condamnée de façon damnable et criminelle et l'ont fait mourir très cruellement par le feu. »
Isabelle Romée
(à gauche, devant le pape)

enquête pour «savoir la vérité dudit procès et la manière selon laquelle il a été conduit et procédé». Cette enquête devait être menée sans tarder : bien des témoins vivaient encore, dont un des principaux, le notaire Guillaume Manchon. Cette enquête officieuse fut suivie de deux autres – officielles cette fois, en 1452 et 1453 – qui conduisirent à un nouveau procès d'Inquisition. Il s'ouvrit sur une séance à Notre-Dame de Paris où les commissaires du pape Calixte III entendirent la plainte de la mère de Jeanne, Isabelle Romée, qui vivait à Orléans où elle avait été reçue après la mort de son époux. Le nouveau procès, qui commença par l'interrogatoire, à dater du 28 janvier 1456, des témoins de l'enfance de Jeanne, allait aboutir, cette même année, à une solennelle proclamation de la nullité du premier : Jeanne était lavée de tout soupçon d'hérésie, et apparaissaient au grand jour les injustices, les intentions criminelles dont avait été marqué le procès de condamnation.

TÉMOIGNAGES
ET DOCUMENTS

«O Jeanne sans sépulcre et sans portrait,
toi qui savais que le tombeau des héros est le cœur des vivants,
peu importent tes vingt mille statues...»

André Malraux

Jeanne au procès

On a regretté que Jeanne ne nous soit connue que par des «grimoires de notaires». Si les événements qu'elle déclenche ont été rapportés par les chroniqueurs, ce sont les deux procès – de condamnation et de «réhabilitation» – qui nous permettent de connaître Jeanne. A cause de la sécheresse des questions et des comptes-rendus, cette personne ressort avec une netteté incomparable, à laquelle la signature des notaires au bas des pages ajoute une incontestable authenticité historique. Mais il faudra attendre le XIXᵉ siècle (1841-1849) et le travail de Jules Quicherat pour que ces pages soient enfin publiées.

Mercredi 21 février

Première journée des interrogatoires

JEANNE – Je ne sais sur quoi vous me voulez interroger. Par aventure me pourriez-vous demander telles choses que je ne vous dirais point.

CAUCHON – Vous jurez de dire vérité sur ce qui vous sera demandé concernant la matière de foi et ce que vous saurez?

JEANNE – De mon père, de ma mère, et des choses que j'ai faites depuis que j'ai pris le chemin de France, volontiers je jurerai. Mais des révélations à moi faites de par Dieu, je ne les ai dites ni révélées à personne, fors au seul Charles mon Roi. Et je ne les révélerai même si on devait me couper la tête. Car j'ai eu cet ordre par vision, j'entends par mon conseil secret, de ne rien révéler à personne. […]

CAUCHON – Quels sont votre nom et votre surnom?

JEANNE – En mon pays, on m'appelait Jeannette et, après que je fus venue en France, on m'appela Jeanne. Du surnom, je ne sais rien.

CAUCHON – Quel est votre lieu d'origine?

JEANNE – Je suis née au village de Domrémy, qui fait un avec le village de Greux. C'est au lieu dit Greux qu'est la principale église.

CAUCHON – Quels étaient les noms de vos père et mère?

JEANNE – Mon père s'appelait Jacques d'Arc. Ma mère Isabeau.

CAUCHON – Où fûtes-vous baptisée?

JEANNE – En l'église de Domrémy. […]

CAUCHON – Qui vous a appris votre croyance?

JEANNE – Je l'ai appris de ma mère *Pater Noster, Ave Maria, Credo*. Je n'ai pas appris d'autre personne ma croyance, sinon de ma mère.

CAUCHON – Dites *Pater Noster*.
JEANNE – Entendez-moi en confession et je vous le dirai volontiers. [...]

Jeudi 22 février

[...]

JEAN BEAUPERE – Quel était votre âge quand vous avez quitté la maison de votre père?
JEANNE – De mon âge je ne saurais déposer.
BEAUPERE – Dans votre jeunesse avez-vous appris quelque métier?
JEANNE – Oui, à coudre panneaux de lin, et à filer, et je ne crains femme de Rouen pour filer et coudre. [...]
BEAUPERE – Quand avez-vous commencé à ouïr ce que vous nommez vos voix?
JEANNE – Quand j'eus l'âge d'environ treize ans, j'eus une voix de Dieu pour m'aider à me gouverner. Et la première fois, j'eus grand'peur. Et vint cette voix environ l'heure de midi, au temps de l'été, dans le jardin de mon père. Je n'avais pas jeûné la veille. J'ouïs la voix du côté droit vers l'église, et rarement je l'ouïs sans clarté.[...]
BEAUPERE – Comment était cette voix?
JEANNE – Il me semblait que c'était une digne voix, et je crois que cette voix était envoyée de par Dieu. Lorsque j'eus ouï par trois fois cette voix, je connus que c'était la voix d'un ange. Cette voix m'a toujours bien gardée, et je comprenais bien cette voix.
BEAUPERE – Quel enseignement vous donnait cette voix pour le salut de votre âme?
JEANNE – Elle m'enseigna à me bien conduire, à fréquenter l'église. [...] La voix me disait de venir en France, et je ne pouvais plus durer où j'étais. Cette voix me disait encore que je lèverais le siège mis devant la cité d'Orléans. Elle

me dit en outre d'aller à Robert de Baudricourt, dans la ville de Vaucouleurs, et qu'il me baillerait des gens pour aller avec moi. [...]
BEAUPERE – Vîtes-vous quelque ange au-dessus de votre roi?
JEANNE – Pardonnez-moi. Passez outre
BEAUPERE – Votre roi eut-il des révélations?
JEANNE – Avant que mon roi me mît à l'œuvre, il eut plusieurs apparitions et belles révélations.
BEAUPERE – Quelles apparitions et révélations eut votre roi?
JEANNE – Je ne vous le dirai point. Vous n'aurez pas encore réponse. Mais envoyez vers le roi et il vous le dira.
BEAUPERE – Pourquoi votre roi vous a-t-il reçue?
JEANNE – La voix m'avait promis que mon roi me recevrait assez tôt après que je serais venue vers lui. Ceux de mon parti connurent bien que la voix m'était envoyée de par Dieu, et virent et connurent cette voix, je le sais bien. Mon roi et plusieurs autres ouïrent et virent les voix qui venaient à moi.
BEAUPERE – Entendez-vous souvent cette voix?
JEANNE – Il n'est jour que je ne l'entende, et même j'en ai bien besoin. [...]

Samedi 24 février

[...]

BEAUPERE – Ceux de Domrémy tenaient-ils le parti des Bourguignons ou le parti adverse?
JEANNE – Je ne connaissais qu'un Bourguignon, et j'eusse bien voulu qu'il eût la tête coupée, voire s'il eût plu à Dieu!
BEAUPERE – Au village de Maxey, étaient-ils Bourguignons ou adversaires des Bourguignons?
JEANNE – Ils étaient Bourguignons.

BEAUPERE – La voix vous a-t-elle dit en votre jeunesse de haïr les Bourguignons ?

JEANNE – Depuis que je compris que les voix étaient pour le roi de France, je n'ai point aimé les Bourguignons. Les Bourguignons auront la guerre s'ils ne font ce qu'ils doivent. Et je le sais par la voix.

BEAUPERE – En votre jeune âge, avez-vous eu révélation par la voix que les Anglais devaient venir en France ?

JEANNE – Déjà les Anglais étaient en France, quand les voix commencèrent à me venir. […].

BEAUPERE – En votre jeune âge, aviez-vous grande intention de persécuter les Bourguignons ?

JEANNE – J'avais grande volonté et grand désir que le roi eût son royaume.

Mardi 27 février

[…]

BEAUPERE – Aviez-vous prescience que vous seriez blessée [à Orléans] ?

JEANNE – Je le savais bien, et l'avais dit à mon roi, mais que, nonobstant, il ne laissât pas de besogner. Cela m'avait été révélé par les voix des deux saintes, savoir de la bienheureuse Catherine et de la bienheureuse Marguerite. Je fus la première à poser l'échelle en haut, dans ladite bastille du pont. Et comme je levais cette échelle, je fus blessée au cou par le vireton, comme je l'ai dit. […]

Jeudi 1er mars

[…]

CAUCHON – Que pensez-vous qu'il doive arriver à ceux de votre parti ?

JEANNE – Avant qu'il soit sept ans, les Anglais perdront plus grand gage qu'ils ne firent devant Orléans, et ils perdront tout en France. Les Anglais auront plus grande perte qu'oncques n'eurent en France, et ce sera par grande victoire que Dieu enverra aux Français.

CAUCHON – Comment le savez-vous ?

JEANNE – Je le sais bien par révélation qui fut faite, et que cela arrivera avant sept ans ; et je serais bien courroucée que ce fût autant différé. Je sais cela par révélation aussi bien que je vous sais devant moi.

CAUCHON – Quand cela arrivera-t-il ?

JEANNE – Je ne sais ni le jour ni l'heure.

CAUCHON – Quelle année cela arrivera-t-il ?

JEANNE – Vous n'aurez pas encore cela. Bien voudrais-je toutefois que ce fût avant la Saint-Jean !

[…]

CAUCHON – Sainte Marguerite parle-t-elle langage d'Angleterre ?

JEANNE – Comment parlerait-elle anglais puisqu'elle n'est pas du parti des Anglais ?

CAUCHON – Sur leurs têtes, avec les couronnes, y avait-il des anneaux d'or ou autrement ?

JEANNE – Je n'en sais rien.

CAUCHON – Vous-même n'avez-vous pas certains anneaux ?

JEANNE – Vous, évêque, vous en avez un à moi. Rendez-le moi ! Les Bourguignons ont un autre anneau. Mais montrez-moi cet anneau, si vous l'avez.

CAUCHON – Qui vous donna l'anneau qu'ont les Bourguignons ?

JEANNE – Mon père, ou ma mère. Il me semble qu'il y avait écrits les noms de Jhesus Maria. […] Et l'anneau me fut donné en la ville de Domrémy. Mon frère me donna un autre anneau que vous avez, et que je vous charge de le donner à l'église.

CAUCHON – N'avez-vous guéri personne avec l'un ou l'autre de vos anneaux ?

JEANNE – Jamais je n'ai guéri personne par le moyen desdits anneaux.

[…]

CAUCHON – Quel signe avez-vous donné à votre roi pour lui montrer que vous veniez par Dieu?

JEANNE – Je vous ai toujours dit que vous ne le tirerez pas de ma bouche. Allez lui demander!

CAUCHON – Avez-vous juré de ne pas révéler ce qui vous serait demandé touchant le procès?

JEANNE – Je vous ai autrefois dit que je ne vous dirai pas ce qui touche et ce qui va à notre roi. Et sur ce qui va à notre roi, je ne parlerai pas.

CAUCHON – Ne savez-vous point le signe que vous avez donné au roi?

JEANNE – Vous ne le saurez pas de par moi.

CAUCHON – Cela touche le procès.

JEANNE – J'ai promis de le tenir bien secret, et ne vous en dirai rien. Je l'ai promis en tel lieu que je ne le vous puis dire sans me parjurer.

CAUCHON – A qui l'avez-vous promis?

JEANNE – A sainte Catherine et sainte Marguerite. Et ce fut montré au roi. Je l'ai promis aux deux saintes, sans qu'elles me requissent. Et je le fis à ma propre requête, car trop de gens me l'eussent demandé, si je ne l'eusse promis aux saintes. [...]

Samedi 3 mars

[...]

CAUCHON – Avez-vous su par révélation que vous vous échapperiez?

JEANNE – Cela ne touche point votre procès. Voulez-vous que je parle contre moi?

CAUCHON – Les voix vous en ont-elles dit quelque chose?

JEANNE – Cela n'est point de votre procès. Je m'en rapporte à mon Seigneur. Et si tout vous concernait, je vous dirais tout. Par ma foi, je ne sais le jour ni l'heure où je m'échapperai.

CAUCHON – Les voix vous en ont-elles dit quelque chose en général?

JEANNE – Oui, vraiment, les voix m'ont dit que je serais délivrée, mais je ne sais le jour ni l'heure, et qu'hardiment je fasse bon visage.

[...]

CAUCHON – N'avez-vous point levé d'enfant aux fonts baptismaux?

JEANNE – A Troyes, j'en levai un. Mais de Reims je n'en ai point de mémoire, ni de Château-Thierry. J'en levai deux aussi à Saint-Denis. Et volontiers mettais nom aux fils, «Charles», pour l'honneur de mon roi, et aux filles, «Jeanne». [...]

CAUCHON – Les bonnes femmes de la ville touchaient-elles leurs anneaux à l'anneau que vous portiez?

JEANNE – Maintes femmes ont touché à mes mains et à mes anneaux, mais je ne sais point leur cœur et intention. [...]

Samedi 10 mars

Dans la prison

LA FONTAINE – Depuis ce lieu de Melun, ne vous fut-il point dit par vos dites voix que vous seriez prise [à Compiègne]?

JEANNE – Oui, par plusieurs fois, et comme tous les jours. Et à mes voix, je requérais, quand je serais prise, d'être bientôt morte, sans long travail de prison. Et elles me dirent de prendre tout en gré, et qu'ainsi il fallait faire. Mais ne me dirent point l'heure, et si je l'eusse sue, je n'y fusse pas allée. J'avais plusieurs fois demandé à savoir l'heure, mais elles ne me la dirent point.

LA FONTAINE – Si vos voix vous eussent commandé de faire la sortie et signifié que vous seriez prise, y fussiez-vous allée?

JEANNE – Si j'eusse su l'heure, et que je dusse être prise, je n'y fusse point allée volontiers; toutefois j'eusse fait leur commandement à la fin, quelque chose qui me dût être advenue.

LA FONTAINE – Quand vous fîtes cette

sortie de Compiègne, avez-vous eu voix de partir et de faire cette sortie?

JEANNE – Ce jour, je ne sus point ma prise et je n'eus d'autre commandement de sortir. Mais toujours il m'avait été dit qu'il fallait que je fusse prisonnière. [...]

Lundi 12 mars

Dans la prison
[...]

LA FONTAINE – De ces visions, n'avez-vous point parlé à votre curé ou autre homme d'église?

JEANNE – Non, seulement à Robert de Baudricourt et à mon roi. Je ne fus pas contrainte de mes voix à les celer : je redoutais moult de les révéler, par crainte des Bourguignons et qu'ils n'empêchassent mon voyage; et, tout spécialement, je redoutais moult mon père qu'il ne m'empêchât de faire mon voyage.

LA FONTAINE – Croyiez-vous bien faire de partir sans le congé de père ou mère, puisqu'on doit honorer père et mère?

JEANNE – En toutes autres choses, je leur ai bien obéi, excepté en ce départ. Mais depuis, je leur en ai écrit, et ils m'ont pardonné. [...]

LA FONTAINE – Fût-ce à la requête de Robert de Baudricourt ou de vous que vous prîtes l'habit d'homme?

JEANNE – Ce fut par moi, et non à la requête d'homme au monde.

LA FONTAINE – La voix vous commanda-t-elle de prendre habit d'homme?

JEANNE – Tout ce que j'ai fait de bien, je l'ai fait par le commandement des voix. Quant à cet habit, j'en répondrai une autre fois. Pour le présent, je n'en suis point avisée. Mais demain, j'en répondrai.

LA FONTAINE – Prenant habit d'homme, pensiez-vous mal faire?

JEANNE – Non, et encore de présent si j'étais en l'autre parti et en cet habit d'homme, il me semble que ce serait un des grands biens de France de faire comme je faisais avant ma prise. [...]

Jeudi 15 mars

[...]

LA FONTAINE – Puisque vous demandez à ouïr messe, il semble que ce serait le plus honnête que vous soyez en habit de femme. Lequel aimeriez-vous mieux? Prendre habit de femme et ouïr messe? Ou demeurer en habit d'homme et non ouïr messe?

JEANNE – Certifiez-moi d'ouïr messe si je suis en habit de femme et sur ce je vous répondrai.

LA FONTAINE – Et je vous certifie que vous orrez messe si vous êtes en habit de femme.

JEANNE – Et que dites-vous si j'ai juré et promis à notre roi de ne pas mettre bas cet habit? Toutefois je vous réponds : faites-moi une robe longue jusqu'à terre, sans queue et me la baillez pour aller à la messe; et puis au retour, je reprendrai l'habit que j'ai. [...]

Samedi 17 mars

Dans la prison. Fin du procès d'office
[...]

LA FONTAINE – Dites-nous si vous vous en rapporterez à la détermination de l'Eglise

JEANNE – Je m'en rapporte à Notre-Seigneur qui m'a envoyée, à Notre-Dame et à tous les benoîts saints et saintes de Paradis. Et m'est avis que c'est tout un de Notre-Seigneur et de l'Eglise, et qu'on n'en doit point faire de difficulté. Pourquoi fait-on difficulté que ce soit tout un?

LA FONTAINE – Il y a l'Eglise triomphante, où sont Dieu, les saints, les anges et les âmes sauvées. L'Eglise militante, c'est notre saint-père le pape, vicaire de Dieu en terre, les cardinaux, les prélats de l'Eglise et le clergé, et tous bons chrétiens et catholiques. Laquelle Eglise bien assemblée ne peut errer et est gouvernée du Saint-Esprit. Voulez-vous vous en rapporter à l'Eglise militante, c'est à savoir celle qui est ainsi déclarée?

JEANNE – Je suis venue au roi de France de par Dieu, de par la Vierge Marie et tous les benoîts saints et saintes de Paradis, et l'Eglise victorieuse de là-haut, et de leur commandement. Et à cette Eglise-là je soumets tous mes bons faits, et tout ce que j'ai fait ou à faire.

LA FONTAINE – Vous soumettez-vous à l'Eglise militante?

JEANNE – Je n'en répondrai maintenant autre chose. [...]

LA FONTAINE – Savez-vous si sainte Catherine et sainte Marguerite haïssent les Anglais?

JEANNE – Elles aiment ce que Notre-Seigneur aime et haïssent ce que Dieu hait.

LA FONTAINE – Dieu hait-il les Anglais?

JEANNE – De l'amour ou haine que Dieu a pour les Anglais, ou de ce que Dieu fera à leurs âmes, je ne sais rien. Mais je sais qu'ils seront boutés hors de France, excepté ceux qui y mourront; et que Dieu enverra victoire aux Français, et contre les Anglais. [...]

Mardi 27 mars

Début du procès ordinaire. Thomas de Courcelles lit les soixante-dix articles du réquisitoire, dans lesquels Jeanne est déclarée :

«Sorcière, devineresse, fausse prophétesse, invocatrice et conjuratrice des esprits mauvais, superstitieuse,

adonnée aux arts magiques;

Mal pensant en tout ce qui se rapporte à la foi catholique, schismatique, doutant et s'écartant de la foi à propos de l'article *Eglise une, sainte*, et de quelques autres;

Sacrilège, idolâtre, apostate, maldisante et malfaisante, blasphématrice contre Dieu et saints;

Scandaleuse, séditieuse, perturbatrice de la paix, empêchant qu'elle ne s'établisse; excitatrice de la guerre, altérée cruellement de sang humain, en provoquant l'effusion;

Impudemment et totalement oublieuse de la décence et des convenances de son sexe, prenant sans rougir l'habit inconvenant et la condition des gens de guerre.»

Ces articles furent résumés en douze points : ses apparitions et révélations; le signe donné au roi; sa foi en ses visions; ses prédictions; son habit d'homme; ses lettres; son départ de Vaucouleurs; sa tentative d'évasion à Beaurevoir; son assurance d'être sauvée; la prédiction de Dieu pour le roi de France et la langue française parlée par les saintes; les hommages rendus par Jeanne à ses apparitions; son refus de se soumettre à l'Eglise.

Samedi 31 mars

Dans la prison

JEANNE – [...] Ce que notre Sire m'a fait faire et commandé et commandera, je ne le laisserai à faire pour homme qui vive, et il me serait impossible de le révoquer. En cas que l'Eglise me voudrait faire faire autre chose au contraire du commandement que je dis à moi fait par Dieu, je ne le ferais pour quelque chose.

CAUCHON – Si l'Eglise militante vous dit

que vos révélations sont illusion ou chose diabolique ou mauvaise chose, vous en rapportez-vous à l'Eglise?

JEANNE – Je m'en rapporte à Notre-Seigneur duquel je ferai toujours le commandement. […]

CAUCHON – Croyez-vous point que vous soyez sujette à l'Eglise qui est sur terre, c'est à savoir à notre saint-père le pape, aux cardinaux, archevêques, évêques et autres prélats d'Eglise?

JEANNE – Oui, Notre Sire Dieu premier servi.

Du 18 avril au 23 mai, ce sont les admonitions charitables : tout au long de ses séances les réponses de Jeanne, qui est malade, sentent la fatigue. Elle est excédée, presque indifférente à la comédie qu'on lui joue. Elle sent la mort proche. Le 9 mai, on la menace de torture :

JEANNE – Vraiment, si vous me deviez arracher les membres et faire partir l'âme du corps, je ne vous en dirais autre chose. Et si je vous en disais quelque chose, je dirais toujours, après, que vous me l'auriez fait dire par force.

Elle ajoutera, le 23 mai :

JEANNE – Si j'étais en jugement, et voyais le feu allumé, et le bois préparé, et le bourreau prêt de bouter le feu, et si j'étais dedans le feu, je n'en dirais autre chose et soutiendrais ce que j'en ai dit au procès jusqu'à la mort.

Jeudi 24 mai

Scène de l'abjuration. On sait que le texte de cette abjuration, tel qu'il figure dans le registre du procès, est beaucoup plus long que celui qui fut lu à Jeanne par l'huissier Jean Massieu et répété, puis signé, par elle ce jour-là. Voici ce qu'elle signa :

«Je, Jeanne, appelée la Pucelle, misérable pécheresse, après que j'aie connu les lacs d'erreur auquel j'étais tenue, et que, par la grâce de Dieu, je sois retournée à notre mère sainte Eglise, afin qu'on voie que, non pas feintement, mais de bon cœur et de bonne volonté je suis retournée à Elle, je confesse que j'ai gravement péché, en feignant mensongèrement avoir eu révélations et apparitions de par Dieu et ses anges, sainte Catherine et sainte Marguerite. Et de tous mes dits et faits qui sont contre l'Eglise, je me rétracte et veux demeurer en l'union de l'Eglise sans jamais en départir.»

Lundi 28 mai

Dans la prison. Procès de relapse et dernier interrogatoire de Jeanne.

CAUCHON – Quand et pourquoi avez-vous repris l'habit d'homme?

JEANNE – J'ai naguère repris l'habit d'homme et laissé l'habit de femme.

CAUCHON – Pourquoi l'avez-vous pris? Qui vous l'a fait prendre?

JEANNE – Je l'ai pris de ma propre volonté. Personne ne m'y a contrainte; j'aime mieux l'habit d'homme que de femme.

CAUCHON – Vous aviez promis et juré de ne pas reprendre l'habit d'homme.

JEANNE – Je n'ai jamais entendu faire serment de ne pas reprendre l'habit d'homme.

CAUCHON – Pour quelle cause l'avez-vous repris?

JEANNE – Parce qu'il me semble plus licite et convenable d'avoir l'habit d'homme, autant que je serai avec des hommes, que de porter l'habit de femme. Et en outre, je l'ai repris parce qu'on n'a pas tenu ce qu'on m'avait promis : que j'irais à la messe, et recevrais mon Sauveur, et que je serais mise hors de fers. Les Anglais m'ont fait ou fait faire en la prison beaucoup de torts et de violences quand j'étais vêtue d'habits de femme. *(Elle pleure)* J'ai fait cela pour la défense de ma pudeur […].

CAUCHON – Depuis jeudi dernier, avez-vous ouï les voix de sainte Catherine et sainte Marguerite?

JEANNE – Oui

CAUCHON – Que vous ont-elles dit?

JEANNE – Que Dieu me mandait par elles que je m'étais mise en grand danger de perdition, parce que j'avais consenti à faire cette abjuration et renonciation, pour sauver ma vie; et que je me damnais pour sauver ma vie. Avant ce jeudi, mes voix m'avaient dit ce que je devais faire, et ce que j'ai fait. Elles m'avaient dit, [quand je serais sur] en l'échafaud, de répondre hardiment au prêcheur qui me prêchait; que c'était un faux prêcheur; il disait que j'avais fait plusieurs choses que j'ai jamais faites; Si ce n'était Dieu qui m'avait envoyée, je me damnerais, mais véritablement c'est Dieu qui m'a envoyée… […] Tout ce que j'ai dit et rétracté, je l'ai fait seulement pour la crainte du feu. […] Jamais je n'ai fait quelque chose contre Dieu ou contre la foi, quoi que l'on m'ait commandé de rétracter; et ce qui était contenu dans la cédule d'abjuration, je ne l'ai jamais compris. Je n'entends jamais rien rétracter, si ce n'était qu'il plût à Dieu que je le rétracte. Si les juges le veulent, je reprendrai l'habit de femme. Du surplus je n'en ferai autre chose.

CAUCHON – Vous êtes donc hérétique obstinée et rechue.

JEANNE – Si vous, Messeigneurs de l'Eglise, m'eussiez menée et gardée en vos prisons, par aventure ne me fût-il pas advenu ainsi.

CAUCHON – Cela entendu, nous n'avons plus qu'à procéder plus outre, selon ce qui est de droit et de raison.

Le cas Jeanne d'Arc

L'épopée et la personnalité de Jeanne ont toujours prêté à discussions – le plus souvent fantaisistes – sur ses origines, sa bonne foi.

Toujours est-il que son procès a bel et bien été mené comme un procès politique.

De tous temps, la personnalité de Jeanne a suscité maintes discussions. [...] certains auteurs, se prétendant historiens, ont donné à notre héroïne une destinée toute différente de celle du bûcher de Rouen : grâce à une habile substitution, Jeanne aurait échappé à ses bourreaux, se serait mariée, et une descendance lui serait advenue.

Personne aujourd'hui n'ajoute foi à de pareilles sornettes, et ces spéculations hasardeuses ont fait long feu. Les discussions cependant n'ont pas cessé sur la portée et le sens de l'équipée exceptionnelle d'une petite bergère lorraine, à qui des voix célestes enjoignaient d'aller faire sacrer le dauphin Charles à Reims. La personnalité même de Jeanne est mise en cause : se croyant inspirée du ciel, elle aurait mené une politique personnelle, contraire à celle préconisée par le roi et ses conseillers; ses improvisations stratégiques malencontreuses l'auraient finalement conduite à la défaite, et sa capture se serait logiquement terminée par son supplice, qu'elle aurait amplement mérité. [...] encore de nos jours, adversaires et partisans de Jeanne s'accusent mutuellement d'avoir faussement interprété les textes, de ne pas avoir «consenti à adopter une méthode de travail correcte» et de sombrer dans l'erreur. Résumons leurs arguments.

I. Contre Jeanne

L'épopée de Jeanne n'aurait évidemment pas eu lieu si n'avait pas été signé le fameux traité de Troyes, le 21 avril 1420. Ce texte prévoyait qu'à la mort du roi régnant, signataire du traité (Charles VI), la couronne et le royaume de France passeraient définitivement au roi d'Angleterre et à ses héritiers. Le traité fut ratifié par le Parlement de Paris, et reçut l'approbation de l'université parisienne puis des Etats généraux. Encore cinq jours avant sa mort, Charles VI faisait expédier des lettres patentes dans lesquelles il demandait l'application intégrale du traité. Donc, dans la mesure où elle s'oppose à l'application du traité de Troyes en voulant faire couronner Charles VII, Jeanne viole à la fois un texte de droit public (le traité) et un texte de droit privé (le testament).

On discutera à perte de vue – on discute encore ! – sur la portée de ces textes : certains les considèrent comme parole d'évangile, les autres comme des chiffons de papier sans valeur juridique. En effet, le roi qui a signé ces deux documents avait été frappé de démence dès 1392 : bien que sa folie soit intermittente, il est en fait aux mains de son entourage, de sa parenté, groupes divisés par des haines sanglantes et des ambitions démesurées. Jean sans Peur, duc de Bourgogne, cousin germain du roi, n'avait pas hésité à faire assassiner Louis d'Orléans, le propre frère de Charles VI, et à s'allier au roi d'Angleterre qui, profitant de la faiblesse du royaume, avait débarqué à Sainte-Adresse le 1er août 1415 et vaincu la noblesse française à Azincourt : Anglais et Bourguignons sont alors maîtres de la France au nord de la Loire! L'alliance se resserre encore lorsque, au cours d'une entrevue à Montereau, les hommes de mains du dauphin (le futur Charles VII) tuent Jean sans Peur, le 10 septembre 1419. C'est dans ce contexte sanglant qu'est signé le traité de Troyes par un roi qui n'a plus sa raison, entouré de sa femme Isabeau de Bavière, et de quelques notables personnages parmi lesquels on compte un certain Pierre Cauchon : le dauphin légitime y est accusé d'«horribles et énormes crimes» et chassé du trône.

Deux ans après, Henri V, roi d'Angleterre , décède le 31 août; Charles VI meurt le 21 octobre 1422. Restent face à face un bébé de six mois, le futur Henri VI, et Charles VII, qui s'est réfugié à Bourges, appuyé par les Armagnacs. Le duc de Bourgogne Philippe le Bon (fils de Jean sans Peur) appuie fermement les prétentions anglaises : comme l'a prévu en effet le traité de Troyes, l'Anglais possède désormais le double titre de «roi de France et d'Angleterre» [...].

Les troupes anglaises, sous la conduite du comte de Salisbury, entreprennent le siège d'Orléans [...]. C'est à cette date qu'une jeune bergère lorraine, fille de «laboureurs», Jeanne d'Arc, entend des voix qui lui conseillent d'aller «en France» : «N'avait-il pas été dit que la France serait perdue par une femme [allusion à l'épouse de Charles VI] et qu'elle devait ensuite être restaurée par une vierge?»

Les premières difficultés surgissent alors pour Jeanne. En effet, lorsqu'elle se présente en mai 1428 à Baudricourt, capitaine de Vaucouleurs, pour lui demander l'autorisation d'aller trouver le «roi de Bourges» afin de le conduire ensuite à Reims, elle se heurte d'abord à un refus. Ce n'est que dans un second temps, grâce au «bluff», au «mensonge», à l'«artifice» (selon certains historiens hostiles à Jeanne) qu'elle réussit à convaincre deux écuyers de l'entourage de Baudricourt de l'accompagner à Chinon. Là, elle annonce au dauphin qu'il est vrai héritier de France et fils de roi. Or cette affirmation, toujours selon ces historiens, ne devrait «être interprétée que comme une innommable trufferie», car la propre mère du dauphin, non seulement n'avait pas cherché à dissimuler la filiation adultérine de son fils, mais avait désigné Louis d'Orléans comme le véritable père de l'enfant.

Cependant, troublé, Charles VII envoie Jeanne à Poitiers pour procéder à une étude approfondie de son cas. Le célèbre *Livre de Poitiers*, qui relate intégralement les phases de cet examen, semble perdu à tout jamais, mais il subsiste un procès-verbal [...]. Les qualités de Jeanne y sont énumérées : humilité, virginité, dévotion, honnêteté, «simplesse». Nos modernes censeurs contestent les conclusions de ce procès-verbal, «attendu que, d'un bout à l'autre de l'examen, Jeanne n'a cessé de faire preuve d'arrogance et d'insolence». [...]

Et, lorsqu'elle se lance dans les combats, quels sentiments animent la conduite de Jeanne? Ce ne peut être ni le patriotisme ni le nationalisme, notions pratiquement inconnues à l'époque, c'est «la haine des Anglais, beaucoup plus que l'amour des Français» : «Elle sait seulement contre qui elle combat, mais elle ne sait pas pour qui...»

Après la victoire d'Orléans, c'est le sacre de Reims. Or cette cérémonie solennelle est parfaitement inutile car, sur le plan du droit, le dauphin Charles VII est devenu automatiquement roi par la mort de son prédécesseur! En outre, elle est «malhonnête» aux yeux de Charles VII qui se sait illégitime, aux yeux de l'Eglise et aux yeux de Jeanne, qui sait parfaitement que le sacre est interdit à son prétendant puisqu'«elle n'ignore rien de l'irrégularité de sa naissance».

Jeanne, faite prisonnière à Compiègne le 23 mai 1430, est aux mains de Jean de Luxembourg, comte de Ligny, lieutenant du duc de Bourgogne passablement désargenté, qui la remet quelques mois après aux Anglais, contre rançon. L'évêque Cauchon (qui a négocié l'échange) est alors chargé de la juger. Menant un combat incessant pour tromper ses juges, Jeanne commet «des erreurs, des impairs, des fautes irréparables» : sa condamnation était fatale. Cauchon, avant de prononcer la sentence, envoie à l'université de Paris un résumé de l'acte d'accusation : faculté de théologie et faculté de décret se déclarent d'accord avec le point de vue du tribunal, et Jeanne est brûlée à Rouen le 30 mai 1431.

II. Pour Jeanne

On reste surpris, lorsqu'on examine de près les arguments concluant à l'illégitimité de la mission de Jeanne, que ne soient presque jamais évoquées les pièces du procès de réhabilitation, [...] mis en œuvre sur les instances de Charles VII lui-même; ce second procès, qui annule la condamnation, débute en 1450 : les diverses enquêtes sont menées avec grand soin, et c'est seulement le 7 juillet 1456 que la sentence est prononcée, sous la présidence de l'archevêque de Reims, Jean Jouvenel des Ursins.

C'est ainsi que l'une de ces enquêtes, menée à Domrémy, nous apprend que, lors du premier procès, Cauchon avait envoyé des commissaires en Lorraine mais qu'il n'avait pas alors été tenu compte de leurs conclusions, parce qu'elles étaient «favorables à Jeanne», affirment les témoins de janvier 1456 : il apparaît en effet que Jeanne, avant son départ pour Chinon, était une fille simple, honnête, pieuse, et même, par certains aspects, naïve.

Nos modernes censeurs de la pucelle

d'Orléans sont satisfaits : Jeanne est condamnée par un tribunal ecclésiastique, avec l'aval des plus hautes autorités universitaires de l'époque. Pourquoi certains vont-ils plus loin dans la réprobation en avançant des accusations dont il faut bien reconnaître qu'elle ne reposent que sur une imagination débridée? Jeanne d'Arc, supposent certains, serait la fille d'Isabeau de Bavière, «issue des amours de la reine et de son beau-frère Louis d'Orléans», ce qui expliquerait l'attachement que porte Jeanne aux Orléans et au dauphin Charles. Mais comment cette enfant adultérine se serait-elle transportée à Domrémy où les paysans du lieu la connaissaient si bien? D'autres se demandent si Jeanne était véritablement femme, ou la suspectent d'homosexualité. Absolument rien dans les textes n'autorise de telles suppositions [...].

Si l'on se réfère à l'ensemble des documents en notre possession, notre héroïne se croit manifestement inspirée par Dieu : on ne peut comprendre son attitude – et celle de ses contemporains – que si l'on admet ce postulat. Faut-il préciser qu'aucun historien ne pourra prouver qu'elle fut effectivement guidée par Dieu? Le vrai problème n'est pas là : il est dans la confiance absolue que manifeste Jeanne à l'égard de ses voix, confiance qu'elle affirme inébranlablement dans tous ses interrogatoires, quitte à vexer ses juges! Cette certitude intime est un fait historique, dont on ne peut pas ne pas tenir compte.

Dès lors, tout s'explique. Résistante avant la lettre, la petite paysanne de Domrémy est persuadée qu'elle doit mener son souverain légitime (ou qu'elle croit tel, peu importe) se faire sacrer à Reims. Et, raisonnant ainsi, elle traduit bien l'esprit public de l'époque. En effet,

contrairement aux subtilités des juristes qui commencent à affirmer que le dauphin devient roi au décès de son prédécesseur, le bon peuple auquel appartient Jeanne considère toujours que le successeur du souverain décédé ne devient véritablement roi que par le sacre.

Notre héroïne s'est-elle trompée sur la condition réelle de Charles VII? La mère de ce dernier prétendait[1], en effet, qu'il était un enfant adultérin. Quoi qu'il en soit, Jeanne, guidée par l'Au-delà, est persuadée de la naissance légitime du dauphin, et il est faux de dire, comme le prétendent certains, qu'elle «n'ignore rien de l'irrégularité de sa naissance». D'ailleurs, le ciel ne protège-t-il pas son équipée, dans la mesure où il lui assure les victoires qui lui ouvrent la voie de Reims? Tout contribua à ancrer la Pucelle dans sa croisade patriotique.

Mais s'agit-il vraiment de patriotisme? Certes, le nationalisme n'existe pas, au sens où nous entendons ce terme aujourd'hui : les «nations» qui constituent l'une des ossatures de l'Université médiévale rassemblent alors ceux qui parlent le même dialecte. Toutefois, c'est à l'époque de Jeanne que les premiers élans patriotiques «cherchent leur voie», et il est évident que l'épopée de la Pucelle a contribué à les catalyser. Elle sait contre qui elle lutte : les Anglais; mais elle sait aussi pour qui elle lutte : le roi de France, seul symbole vivant de ce patriotisme naissant, à qui tous les sujets doivent aide et fidélité.

III. L'ambiguïté du procès de condamnation

Jeanne a comparu devant une juridiction ecclésiastique, présidée par un évêque, Pierre Cauchon; ce n'est qu'à la suite de sa condamnation par l'Eglise qu'elle a été livrée au bras séculier pour être brûlée. Dès lors, la question se pose : pourquoi une belligérante, prisonnière de guerre, est-elle traduite devant un tribunal d'Eglise, à première vue incompétent? Il faut, pour comprendre cette apparente anomalie, nous replacer dans l'atmosphère religieuse du temps : nombreux sont ceux qui croient, en effet, parmi les Français et même parmi les Anglo-Bourguignons, que Jeanne est une envoyée du ciel, protégée par Dieu, guidée par de saintes voix. Pour contrebattre cette croyance, un seul moyen s'offre aux adversaires de la Pucelle : la faire juger par des gens d'Eglise, qui démontreront que, bien loin d'être inspirée de Dieu, Jeanne a «usé de faux enchantements et de sorcellerie», comme le prétend le duc de Bedford au lendemain de la défaite d'Orléans, dès le mois de mai 1429. Et, si Jeanne est condamnée, parce qu'inspirée du diable et non de Dieu, tous ses partisans – et en premier lieu Charles VII roi de France – seront, par le fait même, déconsidérés.

Or, depuis deux siècles, existe une juridiction particulière pour juger les hérétiques, à côté de la juridiction habituelle de l'évêque (officialité) : c'est le tribunal d'inquisition, qui peut être, en un certain sens, considéré comme un tribunal d'exception. C'est devant ce type de tribunal que va comparaître Jeanne, à partir de janvier 1431 : il a fallu en effet de longues tractations pour obtenir de Jean de Luxembourg la livraison de sa prisonnière, moyennant tune forte rançon payée par «le roi de France et d'Angleterre», dont Pierre Cauchon est le très officiel conseiller. Tout s'arrange pour le mieux en faveur de la thèse anglaise : Jeanne n'a-t-elle pas été faite prisonnière dans les limites du diocèse de Beauvais, à quelques dizaines de mètres près., et l'évêque de

Beauvais n'est-il pas justement Pierre Cauchon? Il est vrai que ce dernier ne réside plus dans le siège de son évêché, en raison des événement politiques, mais il est sans aucun doute compétent, puisqu'il est toujours titulaire de Beauvais [...].

C'est donc à l'évêque de Beauvais que «le roi de France et d'Angleterre» confie Jeanne, qui lui est «baillée et délivrée [...] pour l'interroger, l'examiner et lui faire son procès». Mais la Pucelle ne lui sera livrée que «toutes et quantes fois que bon semblera» : ce n'est donc pas en prison d'Eglise, comme il est coutume dans les procès d'inquisition, que Jeanne sera enfermée, mais dans une prison laïque, sous la garde des Anglais et livrée, chaque fois que de besoin, aux juges de l'inquisition. Bien mieux, «le roi de France et d'Angleterre» précise dans sa lettre son «intention de ravoir et reprendre par devers nous ladite Jeanne, s'il arrivait qu'elle ne fût pas convaincue ni atteinte des cas [...] regardant notre foi» : c'est enjoindre clairement à Pierre Cauchon que le procès qu'il va mener doit se conclure par la condamnation de Jeanne!

Selon le meilleur historien de Pierre Cauchon, «l'examen du procès montre que l'évêque de Beauvais est resté constamment maître de son déroulement, même s'il a dû tenir compte du point de vue des Anglais». Doit-on considérer, comme on le lui a souvent reproché (notamment lors du procès de réhabilitation de Jeanne), que Cauchon a commis des irrégularités de procédure? Nous ne le pensons pas : si, par exemple, Jeanne réclame au cours du procès d'être conduite en prison d'Eglise et gardée par des femmes, ce n'est pas à Cauchon qu'il faut imputer l'anomalie de la prison laïque, mais bien aux Anglais [2].

Ne l'oublions pas, cependant :

"C'est à l'époque de Jeanne que les premiers élans patriotiques «cherchent leur voie», et il est évident que l'épopée de la Pucelle a contribué à les catalyser. Elle sait contre qui elle lutte : les Anglais; mais elle sait aussi pour qui elle lutte : le roi de France."

l'évêque de Beauvais est le type même du «collaborateur» : dès le début, il a pris le parti des Bourguignons et de l'envahisseur d'outre-Manche [...]. Et, lors du sacre d'Henri VI, après la mort de Jeanne, c'est lui qui tiendra la couronne au-dessus de la tête du jeune, «roi d'Angleterre et de France». Et, avant le procès de Jeanne, il est allé en Angleterre réclamer des fonds pour activer les opérations militaires auprès de l'entourage d'Henri VI, comme le prouvent les frais de déplacement qu'il touchera à son retour : dès 1422, il siégeait au Conseil royal et conserva ses fonctions de conseiller par la suite...

Pierre Cauchon – est-il besoin de le souligner? – n'est pas seul dans son camp, loin de là! Paris notamment est, au moment du procès, aux mains des Anglo-Bourguignons : c'est ainsi que le 3 septembre 1430 (Jeanne est prisonnière depuis le 23 mai), Pierronne la Bretonne est brûlée vive sur le parvis de Notre-Dame de Paris, parce qu'elle proclamait que la Pucelle était envoyée de Dieu.

Parmi les plus zélés des «collaborateurs», figurent les professeurs et étudiants de l'université de Paris, dont Cauchon a été recteur du 23 juin au 10 octobre 1397, puis en octobre 1403 : il y entretient alors «des relations suivies avec la nation anglaise» et en 1423, lorsqu'il est évêque de Beauvais, il est choisi par l'Université comme conservateur de ses privilèges. Or, déjà au lendemain de la victoire de Jeanne à Orléans, un clerc de l'université de Paris avait insinué que cette fille était sans doute une hérétique que l'inquisition devrait examiner. Il ne faut donc guère s'étonner que, le 21 novembre 1430, les professeurs de l'Université aient écrit au «roi de France et d'Angleterre» pour lui dire : «Nous avons récemment entendu qu'en votre puissance est rendue à présent cette femme dite la Pucelle, ce dont nous sommes fort joyeux.» Ils conseillent que la mission de juger cette hérétique soit confiée à l'évêque de Beauvais et à l'inquisiteur de France, et que le procès ait lieu à Paris. Bedford préfère évidemment que l'instance judiciaire ait lieu à Rouen, sous sa surveillance immédiate, mais ne s'oppose pas à ce qu'une délégation d'universitaires vienne assister Cauchon lors du procès.

Dans son ouvrage sur Pierre Cauchon, François Neveux note que Cauchon «assume pleinement sa mission de juge. Le procès de 1431 est bien son œuvre et l'on peut y saisir constamment son empreinte». L'évêque de Beauvais est un homme remarquable, excellent dialecticien, qui entend faire à Jeanne «un beau procès», selon ses propres termes : il ne désire pas, en effet, que le jugement de condamnation puisse être suspecté, et respecte soigneusement les règles procédurales.

Pour être assuré de la bonne marche du procès, il le préside lui-même, ce qui n'est pas interdit par les procédures inquisitoriales, mais ce qui est, à l'époque, assez rare. Habituellement, la présidence effective revient à l'inquisiteur, conjointement avec l'official, juge ordinaire du diocèse. [...]

C'est donc l'universitaire-évêque qui mènera le procès contre la bergère. Fin juriste, il convaincra sans peine ses assesseurs de la culpabilité de la Pucelle. Les accusations sont bien connues : les voix qui ont conseillé la Pucelle ne sont pas de Dieu, mais du diable; Jeanne veut bien se soumettre à «l'Eglise victorieuse de là-haut» mais pas à l'Eglise militante de cette terre; elle porte un habit d'homme, fait répréhensible qui prendra une importance accrue tout au long du procès, etc.

Certains se sont demandé si Pierre Cauchon n'avait pas commis un déni de justice en refusant à Jeanne «d'être menée devant notre seigneur le pape», ce que réclamait également l'un des assesseurs [...]. Il arrive, en effet, à cette époque que l'accusé demande à ce que son procès soit porté en appel devant le souverain pontife [...]. Mais l'évêque de Beauvais connaît bien le droit canonique : l'appel au pape est interdit en principe dans les affaires d'inquisition depuis deux siècles, par la constitution *Excommunicamus* de février 1231 : s'il était parfois admis en fait, c'était pure bénévolence de la part de l'inquisiteur. Il est donc naturel que Cauchon réponde à la demande de Jeanne : «Les ordinaires (les évêques) sont juges chacun de leur diocèse.»

La talentueuse habileté de l'évêque de Beauvais contraint finalement Jeanne à céder [...] lors de la séance publique au cimetière de Saint-Ouen de Rouen, le 24 mai [...]. La sentence est lue : la coupable, puisqu'elle reconnaît ses erreurs, est simplement condamnée à «mener une salutaire pénitence en prison perpétuelle, au pain de douleur et à l'eau de tristesse». Ainsi, en désavouant ses voix, Jeanne admettait que Dieu n'était pas de son côté : les Anglais triomphaient et «le roi de France et d'Angleterre» pourra par la suite faire parvenir aux princes de la Chrétienté une lettre annonçant que «la malheureuse, voyant imminente sa fin prochaine, reconnut ouvertement et confessa sans ambiguïté que ces esprits [...] étaient mauvais et menteurs».

Jeanne, lors de cette abjuration, a-t-elle bien compris ce dont il s'agissait? Elle pensait que, satisfaits de sa réponse, ses juges lui permettraient d'aller à la messe, de recevoir le corps du Christ et «qu'on la mettrait hors des entraves de fer». Mais, contrairement à son attente, elle est reconduite en prison laïque et, le

28 mai, se méfiant de ses gardiens, elle a repris ses habits d'homme, comme le constate Cauchon. Elle lui assure alors qu'elle n'avait pas compris la cédule d'abjuration et que, de toute manière, elle n'entendait pas «révoquer ses apparitions». Dès lors, elle est relapse, par le fait qu'elle est retombée dans les fautes qu'elle avait auparavant abjurées : elle est livrée «au bras séculier» et menée à l'échafaud. La cause de la condamnation est détaillée sur une inscription placée sur cet échafaud : «Jeanne qui s'est fait nommer la Pucelle, menteresse, pernicieuse, abuseresse du peuple, devineresse, superstitieuse, blasphémeresse de Dieu, présomptueuse, mal créant de la foi en Jésus-Christ, venteresse, idolâtre, cruelle, dissolue, invocatrice du Diable, apostate, schismatique et hérétique.» [...].

Si, selon toutes les apparences, procès et sentence sont conformes au droit canonique de l'époque, c'est essentiellement parce que, selon ses juges, Jeanne était inspirée du démon et non de Dieu : les autres motifs invoqués n'étaient en réalité que prétextes! Que l'on considère au contraire que les «voix» de Jeanne venaient du ciel et non de l'enfer, son supplice n'était plus juste punition, mais erreur judiciaire grossière. Ce retournement de situation sera l'œuvre d'un nouvel inquisiteur, Jean Bréhal, qui, à la suite d'un procès lui aussi fort bien mené, annulera la condamnation de 1431. [...]

Dans la fulgurante épopée de Jeanne, un point reste obscur [...] : pourquoi Charles VII, qui devait tant à notre héroïne, n'a-t-il pas négocié sa rançon, au lieu de la laisser livrer par Jean de Luxembourg aux Anglais? Ce n'est qu'en 1450, comme nous venons de le voir, qu'il se souciera de la faire réhabiliter...

L'abstention royale s'explique sans doute pour deux raisons. D'une part, il se peut que, couronné roi, Charles VII ait éprouvé un sentiment de jalousie à l'égard de la Pucelle, qui s'était permis le soir même du sacre d'écrire au duc de Bourgogne pour lui conseiller (ainsi qu'au roi lui-même!) de se conduire en loyal chrétien : n'est-ce pas à lui, souverain, que revient en définitive la gloire des victoires, et non à l'un de ses chefs d'armée? D'autre part, sur les conseils de ses proches, le roi avait engagé des négociations avec l'adversaire : Jeanne, au contraire, continuait le combat, de sa propre initiative... et ses entreprises se soldaient alors par des échecs, et finalement par sa propre capture. Poussée par sa combativité, elle s'opposait en fait à la politique de conciliation qui s'efforçait de faire place aux assauts guerriers.

Abandonnée par son roi, Jeanne avait été livrée à des juges qui, avant même les débats judiciaires, savaient qu'ils ne pouvaient que la condamner : la grande ingéniosité des Anglais et de leur complice Cauchon a été de camoufler un procès politique en une instance judiciaire canonique, menée avec maestria selon les règles les plus strictes du droit de l'Eglise[3]. Ce n'est pas le seul procès dans lequel le droit a triomphé de la justice, mais ce triomphe ne durera que l'espace d'une génération.

Jean Imbert,
«Le cas Jeanne d'Arc»,
L'Histoire, n° 106, décembre 1987

1. En fait, Isabeau, sans doute dépassée par les événements aurait laissé entendre que son fils était adultérin. Il n'en était rien et plusieurs faits le prouvent *(note de Régine Pernoud).*
2. Ce point est discutable et discuté *(note de Régine Pernoud).*
3. A ceci près pourtant que le droit de l'Eglise aurait exigé qu'elle soit gardée par des femmes, en prison d'église, à l'archevêché en l'occurrence *(note de Régine Pernoud).*

Jeanne et son image

Une incroyable richesse qui nous laisse constamment sur notre faim : ainsi pourrait-on résumer le caractère de l'iconographie johannique. Mais André Malraux l'a dit mieux que personne : «O Jeanne sans sépulcre et sans portrait…»

Peu d'êtres au cours de l'Histoire auront eu leur image aussi nettement tracée le jour même où leur nom s'inscrivait dans la mémoire de leurs contemporains : ce petit dessin à la plume qu'un grave greffier traçait dans la marge de son registre tandis que l'on criait dans les rues de Paris la nouvelle de la libération d'Orléans. Il est unique, à notre connaissance, dans les annales de l'iconographie. Unique tout au moins jusqu'à notre époque où, au contraire, l'image du héros du jour devient immédiatement banale.

Ce profil d'une pucelle «portant bannière» si exactement daté du 10 mai 1429, qui témoigne pour nous à la fois du nécessaire intervalle de quarante-huit heures pour que la nouvelle chemine d'Orléans à Paris, et de la stupeur provoquée par la levée d'un siège lentement consolidé depuis sept mois et brisé en moins de sept jours, c'est la première apparition d'un visage qui se multipliera au cours des temps […].

Une incroyable richesse qui nous laisse constamment sur notre faim : ainsi pourrait-on résumer le caractère de l'iconographie johannique. En effet cette première image elle-même, jaillie pourtant à vif, née de l'actualité, est pourtant trompeuse; celui qui l'a tracée n'avait pas vu Jeanne; il la représente avec une chevelure flottante qu'elle avait fait couper dès son départ de Vaucouleurs, avec une robe longue qu'elle n'a plus portée qu'à la veille de son supplice. Rien d'un portrait donc, mais deux détails significatifs : l'épée et l'étendard. Ce sont ces détails qui avaient frappé la foule et dont on parlait certainement à propos de cette pucelle dont le greffier Clément de Fauquembergue n'a pas inscrit le nom, voué à une si soudaine et si longue renommée.

Pourtant, on fit des portraits de

« Jehanne la Pucelle» avec sa lance et son blason, en compagnie d'Holopherne et de Judith, dans une des versions du *Champion des Dames*, de Martin le Franc.

Jeanne. Elle-même nous l'atteste. Au cours de son procès, elle parle d'un Ecossais qui la peignit à Reims. [...] Son temps est celui du portrait, qu'ils soient tracés au pinceau à la manière de Fouquet ou avec des mots comme le firent un Monstrelet ou un Georges Chastellain... Mais Monstrelet qui assista à l'entrevue de Jeanne et du duc de Bourgogne au soir de la journée de Compiègne n'a rien raconté : il ne s'en souvenait pas, nous dit-il! Et l'on ne peut rien tirer non plus des quelques témoignages contemporains [...]. Ceux qui l'ont connue dans sa jeunesse n'ont tracé de Jeanne qu'un portrait intérieur, n'ont évoqué que son comportement. Les autres, ceux qui l'ont vue arriver à Chinon ou l'ont accompagnée dans ses exploits n'ont eu que des expressions vagues : «cette pauvre petite bergerette», dit Raoul de Gaucourt. La plupart n'ont d'ailleurs vu Jeanne que sous l'armure, le vêtement le mieux fait pour rendre anonyme la personne.

Aussi Jeanne, dès les premières miniatures qui la dépeignent, se trouve-t-elle transfigurée. La plus anciennement datée, celle du *Champion des Dames* en 1441, en fait une héroïne biblique : elle l'assimile à Judith; et lorsque, une quarantaine d'années plus tard, les *Vigiles du roi Charles VII* détaillent ses exploits, les visages que le miniaturiste lui prête ne sont guère convaincants. Ils n'auraient pu l'être de toutes façons, et force nous est de nous contenter d'évocations qui répondront plutôt au choix du peintre ou du spectateur qu'à un impératif de ressemblance ou de vérité historique. Vues sous cet angle, la tapisserie dite d'Azeglio, la miniature de la collection G. Paget fournissent à l'amateur un peu le même sentiment que celui qu'apporte une stylisation opérée comme on a su le faire aux temps médiévaux, et qu'on peut considérer comme un secret perdu. Il nous est difficile aujourd'hui, pour ne pas dire impossible de transmuer ainsi la réalité, surtout la réalité la plus proche. Absorbés que nous sommes par la reproduction d'une vision tout extérieure, qui s'impose toujours à l'artiste en dépit des tendances les plus modernes, serions-nous devenus incapables de cette alchimie qui permettait au tapissier de projeter l'arrivée de Jeanne à Chinon véritablement comme «image» et non comme «représentation»? [...]

L'image de Jeanne à travers les siècles classiques va subir divers avatars d'ailleurs très révélateurs de la mentalité générale. Lorsque, au début du XVIIe siècle, le calme revenu après les désastres et les dévastations des guerres de Religion qui ont pesé lourdement sur la cité d'Orléans (la cathédrale presque entièrement saccagée, le monument du

L e portrait de Jeanne commandé par les échevins d'Orléans au XVIe siècle.

pont détruit, de nombreuses églises disparues), les échevins d'une ville fidèle entre toutes à ses sources et au souvenir de son histoire, décidèrent de faire peindre un portrait de Jeanne, l'image que donnait ce portrait fut celle qu'on pouvait attendre de l'époque : Jeanne y apparaît dans une curieuse robe ajustée et coiffée d'un chapeau orné de trois panaches. Ces trois panaches vont entretenir pendant près de trois siècles l'imagerie johannique. On les retrouve partout. Rubens lui-même, lorsqu'il peindra Jeanne, bien qu'il l'ait représentée en armure, se croira obligé d'empanacher le casque déposé aux côtés de l'héroïne. Ce détail, dans son emphase un peu ridicule, traduit assez exactement le destin posthume de Jeanne, destin aussi paradoxal que son existence même. Que sait-on en effet, aux siècles classiques, à propos de Jeanne?

Les documents qui la concernent ne seront publiés, procès et la plupart des chroniques, qu'au milieu du XIXᵉ siècle. Les événements certes sont connus; encore ne le sont-ils qu'à travers cette optique déformante qu'on applique à tout ce qui vient des temps «gothiques». Les architectes des XVIIᵉ et XVIIIᵉ siècles, lorsqu'ils regardent une cathédrale du XIIIᵉ, ne cachent pas leur dégoût; tout leur art est alors consacré à transformer ces façades qui offusquent leur vision en les soumettant aux ordres antiques [...]. Jeanne n'existe alors qu'à peine pour l'histoire : au reste ceux qui s'occupent d'histoire ne s'intéressent alors qu'à celle des Auguste et des César. En revanche, elle est un thème littéraire et par là un thème d'illustration pour les graveurs et les tapissiers. A ceux-là conviennent les panaches. Lorsque Chapelain compose *La Pucelle ou la France délivrée*, le panache lui est indispensable, et non moins à Voltaire lorsqu'il compose *La Pucelle*. [...] c'est sans doute un autre aspect du destin paradoxal de Jeanne que de susciter toujours symétriquement l'admiration et la raillerie, la louange et l'attaque. Celles-ci d'ailleurs profitant à celles-là. *La Pucelle* de Voltaire suscite la *Jungfrau* de Schiller; remarquons-le, là encore l'histoire n'y gagne rien. Seul le ton change, passant de la verve polissonne à l'hyperbole. [...]

L'image de Jeanne change radicalement au cours du XIXᵉ siècle et cela est lié, bien entendu, à un nouveau changement dans la mentalité. Grâce aux romantiques et à leur pénétrante intuition, le terme même de «gothique» cesse d'être prononcé avec dégoût pour prendre place dans la nomenclature archéologique, et l'on s'avise

peu à peu de l'intérêt que pourraient bien présenter les monuments nés sur notre sol pendant cette période (pourtant ténébreuse) qu'on appelle «Moyen Age». A la faveur de ce changement de mentalité, Jeanne émerge du domaine littéraire et fait son entrée dans l'Histoire; c'est-à-dire que les documents qui la concernent sont publiés dans le cadre du vaste travail qu'accomplit alors la Société de l'Histoire de France. Tandis que Michelet trace d'elle l'inoubliable portrait qui en fait notre première héroïne, Quicherat, son ami, publie en cinq volumes les deux procès, les chroniques et la remarquable collection de textes glanés ici et là à travers les archives françaises et

étrangères : aucun monument à Jeanne ne vaudra jamais celui-là.

Dès lors ce ne sont plus seulement les événements qui se répandent et sont connus du public, en dehors d'Orléans où l'on continue à les célébrer chaque année, le 8 mai, avec la même ferveur que par le passé : c'est la personne même de Jeanne qui apparaît. Les textes des deux procès publiés en 1849, traduits vingt ans plus tard, en 1868, par O'Reilly, vont déterminer un mouvement insoupçonnable auparavant. Ce sera, dès 1869, la demande de canonisation de Jeanne déposée par l'évêque d'Orléans, Mgr Dupanloup. Et pour l'ensemble du public, du plus populaire au plus averti,

Deux images patriotiques : l'une datant de la guerre de 1914 (ci-dessus), l'autre de l'occupation allemande (à gauche).

l'extraordinaire épanouissement de l'image de Jeanne, bientôt stimulé par un double culte, à la fois patriotique et religieux. [...] L'image de Jeanne est désormais partout présente : dans les rues de nos villes, dans toutes les églises jusqu'à celles des plus humbles campagnes, sur les monuments officiels et dans les demeures privées. Cette image bénéficie des acquisitions de l'Histoire : le chapeau à panache a disparu; l'armure à peu près partout est celle du temps de Jeanne, et aussi l'équipement; l'étendard répond désormais à la description que Jeanne elle-même en donnait au cours du procès. Dès l'époque de Marie d'Orléans et celle d'Ingres l'effort avait été notable dans ce domaine d'une recherche de la «couleur locale», et qui correspondait à un intérêt nouveau pour notre propre histoire, laquelle, peu à peu, lentement, commençait à prendre aux yeux des Français autant d'intérêt que celle des Grecs et des Romains.

Mais, parallèlement, il faut bien le dire, une forme d'expression était née, à laquelle le noble terme d'image ne saurait être adapté, pas plus que celui d'art; tout au plus pouvait-on parler d'objets d'art et de représentations à caractère commercial. Le commerce s'est emparé de Jeanne sous forme d'objets d'art; la publicité en a fait autant […].

Reste qu'il n'était pas sans intérêt de dresser à tout le moins un catalogue des peintures, des sculptures, des gravures, médailles et reproductions diverses concernant Jeanne d'Arc durant cette centaine d'années au cours desquelles sa personne a été plus exactement connue, éclairée, magnifiée. Même si elle s'est trouvée dans le même temps, et la plupart du temps sans intention perverse, en toute bonne foi, avilie et rendue vulgaire au pire sens du terme. Après tout, ce sont tous les aspects de l'époque, les plus critiquables et aussi, disons-le, les

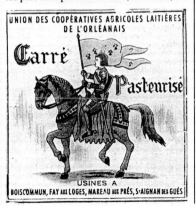

UNION DES COOPÉRATIVES AGRICOLES LAITIÈRES DE L'ORLÉANAIS

Carré

Pasteurisé

USINES A
BOISCOMMUN, FAY AUX LOGES, MAREAU AUX PRÉS, S'AIGNAN DES GUÉS

plus admirables qu'on retrouve alors à travers l'iconographie de Jeanne. Et il suffit d'un seul rayon, d'une seule touche d'authentique beauté pour reléguer d'un seul coup dans l'ombre, pêle-mêle, tous les échantillons de l'art académique ou publicitaire. Il suffit de la *Jeanne au bûcher* ou du *Mystère de la charité de Jeanne d'Arc* pour reléguer à leur médiocrité tant de dramaturgies propres à meubler seulement des rayons de bibliothèque; il suffit de la Jeanne de Rouault ou de celle de Gauguin pour faire oublier tant de kilomètres de toile peinte; il suffit de la *Passion de Jeanne* de Dreyer pour donner aux progrès de la technique cinématographique l'éblouissement de l'authentique création artistique.

[…] Parlera-t-on de déception au terme de cette quête d'un visage? Visage si fugitif, celui d'une humble paysanne dont la destinée fulgurante s'est trouvée fixée pour l'éternité à travers les flammes du bûcher de Rouen, visage si impersonnel de celle qui fût par excellence une personne, dans l'universelle dérobade des rois et des peuples, de l'Eglise et du monde? Peut-être, si déception il y a, pourra-t-on en conclure que c'est décidément notre visage que révèlent toutes ces œuvres assemblées – le nôtre et non le sien.

Mais peut-être aussi, puisqu'on le recherche avec une telle frénésie, par tous les moyens nés ou à naître, sous le ciseau et le burin, sous le pinceau et l'œil de la caméra, incarné par tant d'actrices en quête de personnages, peut-être en faut-il conclure que cette image reste éperdument vivante et toujours vierge au cœur de l'Histoire.

Régine Pernoud,
préface du catalogue de l'exposition
Images de Jeanne d'Arc,
Hôtel de la Monnaie, Paris, juin-sept. 1979

Jeanne à travers la littérature

Jeanne a inspiré, du XVe siècle à nos jours, de nombreuses œuvres littéraires : poèmes épiques, pamphlets, pièces de théâtres. Elle a réuni autour d'elle des écrivains aussi différents que Christine de Pisan, Villon, Shakespeare, Schiller, Dumas, Michelet, Verlaine, Mark Twain, Péguy, Bernard Shaw, Bernanos et Anouilh.

Costume de Mlle DUCHESNOIS rôle de JEANNE D'ARC N°476
dans Jeanne d'Arc à Rouen *Tragédie*.

À travers la poussière et les flammes,
l'étendard de la france a brillé dans les airs.

À Paris chez Martinet, Libraire rue du Coq N°15

De Christine de Pisan à Jean Anouilh

Pour la plus grande satisfaction de l'historien, le défilé des noms connus commence très tôt, du vivant même de Jeanne, et au moment de son premier exploit : la délivrance d'Orléans. Dès juillet 1429 en effet, une vieille poétesse, Christine de Pisan, s'interroge ainsi : «Une fillette de seize ans / A qui armes ne sont pesans, / N'est-ce pas chose fors nature? […]»

A vrai dire, Christine de Pisan n'est pas tout à fait la première à exprimer son admiration devant la bergère de Domrémy. Un poète anonyme écrivait déjà, deux mois plus tôt, une autre ballade […].

Le *Mistère du siège d'Orléans*, pièce de 20 529 vers […] qui daterait de l'époque de la réhabilitation, représente une entreprise autrement importante. Il s'agit, en fait, du premier monument littéraire consacré à Jeanne. Joué à plusieurs reprises sur les lieux mêmes de l'action, il nous montre la Pucelle requise par l'archange saint Michel sur l'ordre exprès du Très-Haut. La scène nous transporte de Londres à Patay, en passant par Chinon, Chartres, Beaugency, Paris, Vaucouleurs, Orléans demeurant, bien entendu, au centre de l'action.

Œuvre gauche, profuse certes, mais que l'on sent soutenue par un ardent patriotisme ainsi que par la conviction que Dieu veille sur la France. […]

La seconde moitié du siècle est moins riche en témoignages intéressants. De toute évidence, les premières effervescences se calment, les intrications politico-religieuses de l'histoire de Jeanne ne sont plus d'actualité. Reste un souvenir rempli de gratitude, gratitude que le chroniqueur Martial d'Auvergne exprime à sa manière rugueuse dans les *Vigiles de la mort de feu Charles*

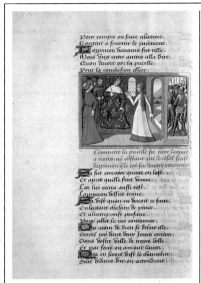

U ne page des *Vigiles du roi Charles VII*, par Martial d'Auvergne.

septiesme, en 1484, et que nous retrouvons sous la plume du grand François Villon dans sa *Ballade des Dames du Temps Jadis*, en 1461 [...].

Le siècle de l'humanisme ne pouvait mieux faire que de se signaler à l'attention par une épopée, *De gestis Joannae virginis Franciae*, de Valeran de La Varanne, qui chante les victoires de l'héroïne en hexamètres latins. [...]

Une certaine conception des «lumières», déjà sensible à cette époque, ne pouvait manquer non plus d'affirmer son scepticisme à l'égard de la chasteté de Jeanne comme à l'égard de sa mission. Girard du Haillan, dans son livre qui peut être considéré comme notre première histoire nationale publiée en français, *De l'estat et mercy des affaires de France* (1570), remarque ainsi que les uns disent de Jeanne qu'elle était la maîtresse de Dunois, les autres du sire

de Baudricourt. [...] A de pareilles assertions, Etienne Pasquier répond dans les *Recherches de la France* (1580) en stigmatisant ces hommes qui, «pour être pires que l'Anglais, font le procès extraordinaire à la renommée de celle à qui toute la France a tant d'obligation». Il trouve ensuite la preuve de la mission de Jeanne dans sa «pudicité», «les nombreux succès de ses affaires», «la simplicité de ses réponses aux interrogatoires», «la mort cruelle qu'elle choisit».

A la même date, l'année où Montaigne visite à Domrémy la maison de l'héroïne, un jésuite, le Père Fronton du Duc fait jouer en Lorraine une tragédie, *L'Histoire de la Pucelle*, écrite comme un appel à l'union nationale par-delà les luttes fratricides. [...] Il évoque à la fin le cœur de la martyre : «Qui, entier dans le feu, vermeil encor restait, / Comme on voit quelquefois entre un faisceau d'épines / Une rose rougir en ses feuilles crespines.»

Et c'est, pour terminer le siècle, la première contribution d'importance venue de l'étranger, qui mieux est : de cette Angleterre vaincue par la jeune fille. On ne s'étonnera pas que les perspectives soient un peu différentes. Dans cette première partie d'*Henri VI*, drame historique vraisemblablement écrit par Robert Greene, et que le jeune Shakespeare retoucha en 1590, la figure de Jeanne présente d'ailleurs deux aspects contradictoires. Pendant les trois quarts de la pièce, elle est sympathique, chevaleresque, railleuse à l'occasion. C'est la Vierge Marie elle-même qui lui a dicté sa mission [...]. Et puis, à la veille d'être faite prisonnière, l'héroïne se met soudain à évoquer les démons. Amenée devant l'ennemi, elle renie son père, se prétend de haute lignée, et finit par avouer qu'elle est enceinte d'elle ne sait plus trop qui. Il est vrai qu'en fait de vérité historique, on voit aussi Charles VII faire acte d'allégeance au roi d'Angleterre […].

De leur côté, les historiens reviennent à la charge contre ceux qui osèrent, dans un passé proche ou lointain, salir la noble figure. Edmons Richer, ancien syndic de la faculté de théologie de Paris, compose de 1625 à 1630 une *Histoire de la Pucelle*, à partir des textes originaux des procès, et où l'auteur avoue : «Attendu le secours miraculeux que la Pucelle apporta à la couronne de France et race royale, je m'ébahis fort que nos pères aient eu si peu de soin de faire voir la vérité de cette histoire.» Les politiques, pour leur part, essaient de faire reprendre du service à Jeanne, en la mobilisant dans les guerres qui se poursuivent contre les Anglais. […]

C'est cependant du côté des doctes que le pire attend la Pucelle. En 1642, l'abbé d'Aubignac, célèbre régent du Parnasse, lui consacre une tragédie en prose […]. Il a beau imaginer Warwick amoureux de Jeanne, puis demander le secours de Benserade pour versifier sa prose, la pièce ne rencontre aucun succès.

Qu'à cela ne tienne. «Un poète doit venir, fait dire l'abbé d'Aubignac à son héroïne, qui établira l'immortalité de ma gloire par un ouvrage immortel.» Ce phénix, on l'a deviné, c'est l'honnête et malheureux Jean Chapelain, qui publie en 1656 les douze premiers chants de son épopée, *La Pucelle ou la France délivrée*, les douze derniers chants devant rester inédits jusqu'à la fin du XIXe siècle. Bien sûr, l'œuvre est un monument d'ennui. Il faut reconnaître pourtant, et le diagnostic final n'est est que plus accablant, que l'auteur a dépensé pour la réaliser une somme inimaginable de conscience professionnelle, d'érudition, d'intelligence, et même de goût. Le résultat serait parfait, si le moindre

La Pucelle ou la France délivrée : frontispice de l'édition originale.

souffle de vie animait ce grand corps vide. Mais Chapelain prétendait-il, au fond, faire autre chose qu'une démonstration : celle de la possibilité d'écrire, sur un sujet moderne, un poème épique scrupuleusement conforme à la tradition?

D'une telle aventure, en tous les cas, la figure de Jeanne ressort décolorée, exsangue, réduite à quelques traits stéréotypés. Les seuls moments où son abstraite raideur de guerrière se relâche un peu sont ceux qui la voient en prière.

[…] Parmi les intentions qu'avait Chapelain lorsqu'il entreprit son poème, il en est une assez curieuse et qui mérite d'être relevée […] : celle de défendre les femmes contre le préjugé ridicule selon lequel elles ne seraient pas capables de vertu héroïque.

Pareille façon d'exalter la femme forte dans la Pucelle n'est certes pas nouvelle à l'époque de la Fronde et des exploits de la Grande Demoiselle. Vers 1483 déjà, la *Ginevra de le clare donne* de Giovanni Sabadino célèbre l'héroïne dans ce sens, et le thème sera repris par la suite [...]. Un autre jésuite plus connu, le Père Lemoyne, consacre même à la Pucelle, dans sa *Galerie des femmes fortes* (1647), un sonnet où l'héroïne interpelle la postérité [...].

En ce qui concerne la seconde moitié du siècle, force est bien de constater que, pour Jeanne comme pour beaucoup d'autres choses, cette époque oppose une étonnante pauvreté à l'exubérance de la période précédente. Les allusions à la bergère lorraine se font à ce point rares que l'on peut voir un Bossuet, dans un *Abrégé de l'histoire de France* à l'usage du Dauphin, transformer Jeanne en une «servante d'auberge» (assertion que reprendra Voltaire). [...]

Du poème de Voltaire, publié en 1762, [...] mieux vaudrait peut-être ne rien dire. Mais à force de répéter qu'il s'agit là d'une œuvre déplorable, on finit par ne plus prendre la peine de voir en quoi un tel jugement se justifie. Que l'auteur ait songé à se servir d'une histoire de miracle et de vocation extraordinaire pour, comme il le jugeait nécessaire, alimenter sa campagne antireligieuse, il n'y a rien là de condamnable en soi. Qu'il ait voulu, de plus, suivre la tradition des conteurs gaulois et émailler son récit de trouvailles allégrement paillardes, les détracteurs de Boccace seront sans doute les seuls à s'en plaindre. Où les choses se gâtent, c'est lorsque Voltaire prend délibérément pour émule de Cunégonde un personnage historique dont il sait fort bien (ou s'il ne le savait pas, il lui était loisible de s'informer) que celui-ci ne répond en rien à la description qu'il se prépare à en donner. Passe encore pour l'honorable père de Jeanne, qui se métamorphose en : «certain curé du lieu / Faisant partout des serviteurs à Dieu.»

Mais que dire d'une bouffonnerie qui travestit à ce point la signification d'un événement que l'aventure glorieuse devient une vulgaire polissonnerie, l'héroïsme un prétexte à plaisanteries de corps de garde, la lutte patriotique une suite d'assauts lancés contre un pucelage, celui-ci finissant d'ailleurs par être emporté par un âne (mythique, accordons-le), au cours d'une scène dont l'auteur nous laisse rien ignorer? Le plus triste est qu'une aussi méchante action ait rencontré l'applaudissement du siècle. Un siècle où même les prêtres érudits il est vrai, ne se sentaient plus la force de défendre la réalité des visions de Jeanne. [...]

Il faudra attendre l'avènement de la Révolution française pour qu'une vigoureuse réaction se fasse jour. A la suite de la prise de la Bastille, en effet, Jeanne revient à la mode d'une étrange façon. Durant la seule année 1790, on ne compte pas moins de trois pièces qui lui sont consacrées [...]. Mais le morceau de choix, c'est la rétractation publique qu'un jeune auteur anglais lui voue alors, en réparation aux outrages de Shakespeare. Robert Southey, dans un poème épique publié en 1795, *Joan of Arc*, après avoir chanté une Pucelle «républicaine» et «patriote» qui annonce, au sacre de Reims, la déclaration des droits de l'homme et les bienfaits de la Révolution, conduit en rêve son héroïne dans un lieu où les grands conquérants, les «meurtriers de l'Humanité», comme il les appelle, expient leurs forfaits, et il lui montre parmi eux le vainqueur d'Azincourt, Henri V d'Angleterre. [...] Notons enfin un opéra italien, *Giovanna d'Arco*, du compositeur Gaetano Andreozzi, et qui fut représenté à Venise en 1793. [...]

Voici venir Schiller, qui se propose

ostensiblement de répondre à Voltaire comme Southey a répondu à Shakespeare. Dans une poésie contemporaine de sa pièce, le dramaturge allemand s'adresse ainsi à Jeanne : «Le monde aime à noircir ce qui rayonne et à traîner le sublime dans la fange. Mais sois sans crainte, il y a encore de belles âmes qui s'enflamment pour ce qui est grand.» Lorsqu'il écrit sa «tragédie romantique», de 1800 à 1801, Schiller s'enflamme certes pour son héroïne, et à un double titre : non seulement parce que le personnage lui semble admirable, mais parce que, comme tout le siècle qui va le suivre, il y voit le symbole de la résistance à l'envahisseur et de la résurrection nationale. «Qu'y a-t-il d'innocent, de saint, d'humainement bon, si ce n'est le combat pour la patrie?» Le malheur est que, dans cette louable intention, le poète transforme la jeune guerrière lorraine en une véritable walkyrie qui affirme froidement : «Un pacte terrible me lie et m'engage envers le royaume des esprits. Il m'oblige à tuer de l'épée tout être vivant que le dieu des batailles fatalement m'envoie.» Tant que l'amour de l'Anglais Lionel ne l'a pas touchée, cette sœur de Brunehilde prétend aussi ne se rattacher «à aucun sexe humain» et que sa cuirasse «ne recouvre pas de cœur». Tout change à l'acte IV, il est vrai. Mais cette vulnérabilité, cette humanisation soudaines représentent justement pour Schiller le commencement de la déchéance de Jeanne, la raison des échecs successifs qui vont l'amener à la mort.

Œuvre ambiguë, cette *Jungfrau von Orléans* n'en connaît pas moins un grand succès et inspire presque aussitôt des imitations françaises […].

Après la chute de Napoléon, Jeanne fait ses débuts dans un rôle qu'on lui verra reprendre avec éclat cinquante-cinq ans plus tard : celui de consolatrice des patriotes affligés. […] Il n'est pas jusqu'à l'ancien «organisateur de la victoire», Lazare Carnot, qui, proscrit à Magdebourg, ne rime des vers naïfs sur la Pucelle, vers 1820.

Côté théâtre, trois tragédies sont à mettre à l'actif de la Restauration : celle de Leuillart d'Avrigny (1819), celle de Nancy (1823), enfin celle d'Alexandre Soumet (1825). […] Si l'on prend par exemple la tragédie de Soumet, qui n'est pas tellement inférieure, après tout, à celle de Schiller, et dont le style, héritier de Corneille, n'est pas toujours non plus un vain pastiche […], on y décèle à chaque instant l'exaltation patriotique, qui débouche parfois sur un appel à l'union nationale […]. A la fin de l'œuvre, Jeanne s'acheminant vers le bûcher exprime en termes clairs sa vocation de patronne des Français : «Je vais au Roi des rois demander leur bonheur; / D'intercéder pour eux j'ai mérité l'honneur, / Et je n'oublierai pas, dans une autre patrie, / Celle pour qui je meurs et que j'ai tant chérie.»

Avec l'avènement du romantisme triomphe, on s'en doute, le règne de l'histoire. Non qu'il faille dater de 1830 l'intérêt pour les monographies exactes et les évocations fidèles. […] Mais ce n'en est pas moins durant le second tiers du XIXe siècle que sont enfin imprimés, à côté d'autres ouvrages importants, les textes latins des deux procès […] : cinq volumes publiés de 1841 à 1849 par Jules Quicherat.

Auparavant, dans l'*Histoire des ducs de Bourgogne* (1824-1826), Barante avait déjà essayé de raconter l'événement en se rapprochant le plus possible du style de ses sources. Puis un Allemand, Guido Goerres, avait édité en 1834 un ouvrage fondé sur l'ensemble des documents connus lors. Couronnant le tout était venue se placer l'exaltante résurrection de Michelet, dans le tome V de son *Histoire de France* (1841) [...].

Pour Michelet, la jeune Lorraine est essentiellement l'incarnation du peuple dans ce qu'il a de plus sain [...]. «Elle aimait ses parents, ses amis, mais surtout les pauvres. Or le pauvre des pauvres, en ce moment, c'était la France». Sur l'aspect proprement religieux de Jeanne, Michelet est malheureusement plus vague et se rallie au fond à la thèse rationaliste : «La jeune fille, à son insu, créait, pour ainsi parler, et réalisait ses propres idées, elle en faisait des êtres, elle leur communiquait, du trésor de sa vie virginale, une splendide et toute-puissante existence». [...]

Pendant que les historiens travaillent de la sorte, ne croyons surtout pas que les poètes s'endorment. De 1818 à 1846, on ne signale pas moins de six poèmes épiques, tous oubliés par la postérité avec une souveraine équité [...]. Une absence étrange : celle de Victor Hugo, qui ne juge pas utile (ou opportun?) de ménager une place à la Pucelle dans sa *Légende des siècles*. Par contre Lamartine, en 1852, présente aux lecteurs de son recueil du *Civilisateur* le portrait en prose de celle qui [...] est pour lui «l'image de la France popularisée par la beauté, sauvée par l'épée, survivant au martyre, et divinisée par la sainte superstition de la patrie». De son côté, Alexandre Dumas donne une *Jehanne la Pucelle* (1842), où il fait de l'héroïne le «Christi de la France».

Si l'on revient au théâtre, on note pour la même époque une pléthore absolument étonnante de pièces consacrées à la libératrice d'Orléans : seize drames en vers de 1829 à 1869, une douzaine de drames en prose de 1821 à 1867. [...] Comme on pouvait le prévoir,

une telle cadence de production ne se ralentit pas après la défaite de 1870, au contraire. Jusqu'à la fin du siècle, une trentaine de nouvelles pièces connaissent les feux de la rampe, non moins médiocres que leurs aînées. Parmi celles-là, l'œuvre qui remporte peut-être le plus de succès est, en 1873, le «drame légende» de Jules Barbier [...], accompagné d'une musique de scène de Charles Gounod. Notons, à ce propos, la faveur grandissante dont la Pucelle jouit auprès des musiciens. En 1821, un opéra-comique de Théaulon et Dartois, *Jeanne d'Arc à Orléans*, reçoit une partition de Michel Carafa, ami et disciple de Rossini. Puis Giuseppe Verdi s'empare d'un livret de Solera et donne un opéra joué à Milan en 1845, et à Paris en 1868. [...]

Les poètes ne participent pas moins que les gens de théâtre à cette intense liturgie patriotique : Théodore de Banville, François Coppée, Sully-Prudhomme, avec à leur tête, bien sûr, Paul Déroulède, dont les *Nouveaux Chants du soldat*, en 1875, contiennent une pièce invitant les compatriotes de l'auteur à s'unir : «A Jeanne la Française, à Jeanne la Lorraine, / La patronne des envahis.»

Dans ce concert grandiloquent, toutefois, une note plus humaine est introduite par Verlaine, qui publie en 1885, dans son recueil *Jadis et naguère*, un sonnet de jeunesse nous montrant la martyre attachée à son bûcher et se remémorant l'ingratitude de ses amis : «Et la Lorraine, au seul penser de cette injure, / Tandis que l'étreignait la mort des mécréants, / Las! pleura comme eût fait une autre créature.»

D'Amérique arrive enfin, dans les dernières années du siècle le livre enthousiaste de l'humoriste Mark Twain : *Joan of Arc* (1896). [...]

Tel celui de Schiller cent ans

MARK TWAIN'S JOAN of ARC

HARPER & BROTHERS PUBLISHERS

auparavant, un autre grand nom se dresse à l'entrée du XXᵉ siècle et paraît commander pour une large part les interprétations de la Pucelle qui vont être données par la suite : celui de Charles Péguy. De même que le dramaturge allemand fut le premier à offrir l'exemple d'une Jeanne martiale et emphatique […], ainsi le poète français inaugure une façon plus intérieure et surtout plus chrétienne de voir le personnage. L'héroïne descend de son socle et se rapproche de ce qu'elle fut sans doute réellement dans la vie : une jeune paysanne de la paroisse de Domrémy, dont les exploits raniment un instant l'esprit de la chevalerie déclinante, et dont le martyre est une imitation presque parfaite de la Passion du Christ.

Jeanne fournit d'abord à Péguy, en 1897, l'occasion d'écrire son premier

livre : un énorme drame en trois pièces totalisant huit parties. Œuvre de jeunesse sans doute, passablement informe et balbutiante. Mais surtout canevas de l'épopée définitive, pour laquelle le poète prévoyait une douzaine de *Mystères*, dont trois seulement furent réalisés. Dès ce premier ouvrage, la figure de l'héroïne est nettement caractérisée. «C'est une femme qui ne prend son parti de rien.» C'est aussi une patriote qui perd cœur lorsqu'elle entend Gilles de Rais prôner l'emploi de moyens répréhensibles : «S'il fallait, pour sauver la France, prononcer les paroles que monsieur de Rais a prononcées devant moi, j'aimerais mieux que la France ne fût pas sauvée.»

Treize ans plus tard, dans le *Mystère de la charité de Jeanne d'Arc* (1910), le personnage a si peu changé que l'on retrouve mot pour mot, dans sa bouche et dans celles de ses partenaires, le texte primitif, mais augmenté, approfondi, et du même coup démesurément enrichi. Le sujet de ce premier des douze Mystères à venir, c'est l'absence de Dieu : non seulement dans la France du XVᵉ siècle, ravagée par les guerres civiles, mais dans le cœur même de Jeanne, et jusque dans l'au-delà, au sein de l'enfer éternel. Extraordinaire «lamento», qui commence sur un *Notre Père* dérisoire, aux termes inversés, pour s'achever il est vrai sur un second *Notre Père*, rendu à l'allégresse et à la jubilation. Car Dieu est finalement intervenu. Dieu fait un signe en accomplissant le miracle demandé par la bergère. Il ne manque plus que ce «chef de bataille» pour l'obtention duquel Jeanne redouble ses prières, sans se douter encore que c'est elle qui sera désignée. […]

Dans ses œuvres en prose de la même époque, Péguy n'oublie par Jeanne. […]. Elle apparaît enfin pour la dernière fois dans le texte que Péguy était en train d'écrire et qu'il laissa inachevé sur sa table, le 1ᵉʳ août 1914 : *Note conjointe sur M. Descartes*. Suprême méditation sur la tragédie de cette guerrière qui «pensait trouver un roi de baronnage et de courtoisie, un roi de grâce et de chevalerie», et qui «trouva un roi homme d'affaires et un roi de courtage». Suprême hommage à la sainte dont «tout, dans les prisons et l'agonie et la mort est un reflet, un écho, un rappel, tout est une fidélité au jugement, à l'agonie, à la mort de Jésus».

Après de tels sommets, il est dur de redescendre au niveau de productions courantes comme la pièce d'Emile Moreau : *Le Procès de Jeanne d'Arc* (1909), ou même à celui d'études respectueuses, mais radicalement inaptes à comprendre la personnalité de la Pucelle, comme la *Vie de Jeanne d'Arc* (1908) d'Anatole France. Ainsi que le dit très bien Bernard Shaw, «A. France n'est pas un anti-Jeanne; mais il est anti-clérical, anti-mystique et incapable, fondamentalement, de croire qu'il pût exister un personnage comme la vraie Jeanne». [...]

Au moment de la guerre de 1914-1918, la sainte patronne de la France se trouve mobilisée en première ligne et doit souffrir, comme tous les poilus, la littérature de l'«arrière», c'est-à-dire les poésies platement patriotiques qui la prennent pour objet. [...]

Par-dessus la Manche arrive la réponse, mais en 1923 et sous la forme d'une pièce solide, pleine d'une intelligente sympathie pour l'héroïne, même si l'auteur, incroyant de bonne volonté, se croit obligé de reprendre pour sa part la vieille théorie sur l'origine imaginative des «voix» : *Saint Joan*, de Bernard Shaw. Pour le terrible humoriste irlandais, Jeanne est une fille qui réjouit le cœur. «Saine d'esprit, sagace, et d'une vigueur corporelle extraordinaire», «elle est la protestation de l'âme individuelle contre l'intervention de qui que ce soit, prête ou noble, entre l'individu et son Dieu». Aussi sa canonisation récente (en 1920) est «un geste de splendeur catholique, car c'est la canonisation d'une sainte protestante par l'Eglise de Rome».

Réaliste, pleine d'aplomb, impertinente à l'occasion, la Pucelle de Bernard Shaw n'est pas sans annoncer celle de Joseph Delteil, qui séduit à ce point les dames du Fémina, en 1925, qu'elles lui accordent leur prix. Cette nouvelle Jeanne se présente comme une fille «toute neuve, avec ses fraîches couleurs de chair», «née "à cheval" sous un chou qui était un chêne». Elle provoqua les garçons pour lutter avec eux à mains nues, avant de s'en aller à l'aventure, pour la liberté des Français, et l'honneur de Jésus.

Image truculente, haute en couleurs, à laquelle on ne peut reprocher que de confondre un peu trop l'extravagance humaine avec l'humble folie des enfants de Dieu. Disciple de Péguy, Georges Bernanos sait, lui, ce que signifie l'entêtement de la petite fille Espérance aux prises avec les gens sages, raisonnables, pondérés. Dans un long article publié par la *Revue Hebdomadaire*, en 1929 : «Jeanne relapse et sainte», il souligne le caractère unique de cet affrontement, dans le cas de la martyre de Rouen : «La merveille, c'est qu'une fois, une seule fois dans le monde peut-être l'enfance ait ainsi comparu devant un tribunal régulier, mais la merveille des merveilles, c'est que ce tribunal ait été un tribunal de gens d'Eglise.»

Comme celle de Péguy, comme celle de Bernanos, la *Jeanne au bûcher* (1939), de Paul Claudel, est elle aussi une enfant : «ce petit bout de femme dans les orties et les boutons d'or, si ébahie qu'elle oubliait de manger sa tartine». De même, pour elle comme pour ses aînées, «il y a l'espérance qui est la plus forte». Malheureusement, dans l'oratorio qu'Arthur Honegger habilla de sa royale musique, l'évocation du drame de la Pucelle s'arrête là, ou aurait dû s'arrêter là, si l'on considère la grossièreté avec laquelle Claudel s'acharne sur Cauchon et les juges : grossièreté qui n'est pas sans rappeler celle de Voltaire, le bien-pensant rejoignant le libre-penseur dans une égale médiocrité agressive. [...]

Une autre influence de la politique se marqua dans la *Jeanne et les juges* de Thierry Maulnier, écrite au beau milieu de la «guerre froide», en 1949. La Pucelle y revêt les traits d'une héroïne d'Arthur Koestler en comparaissant «non pas seulement devant "ses" juges, mais devant "les" juges qui autour de nous, dans notre siècle, extorquent à la révolte l'aveu de la soumission, à l'honneur l'aveu de l'indignité, à l'innocence l'aveu de la faute, à la vérité l'aveu du mensonge». Critique indirecte du stalinisme, l'œuvre vigoureuse, bien qu'un peu trop abstraite, de Maulnier interprète aussi la figure de Jeanne dans un sens existentialiste. En revenant sur son abjuration, la jeune martyre affirme en effet, selon l'auteur, «sa liberté de choisir. [...]».

La dernière en date des œuvres littéraires importantes consacrées à Jeanne est l'*Alouette* (1953), de Jean Anouilh. [...] Pillant sans vergogne, pour les situations et les personnages, la *Sainte Jeanne* de Bernard Shaw, Anouilh emprunte le «supplément d'âme» nécessaire à Pascal [...]. En ce qui concerne le dénouement, il le dérobe à sa propre *Antigone*, la jeune chrétienne choisissant de mourir pour les mêmes raisons que la jeune païenne, afin de ne pas déchoir en vieillissant. Triste entreprise. [...]

Comme toutes les grandes figures, réelles ou imaginaires, de l'histoire littéraire, Jeanne d'Arc a ainsi revêtu différents aspects à travers les siècles, soit que l'on ait insisté davantage sur tel de ses traits, soit que la fantaisie lui en ait prêté d'autres, en contradiction parfois avec sa physionomie la plus avérée.

Au XVe siècle, ce qui semble avoir frappé les esprits, c'est ce double phénomène d'une jeune fille devenue chef de guerre et d'une paysanne mandatée par Dieu pour bouter les Anglais hors de France : en somme, les fondements mêmes de l'histoire de Jeanne, très tôt popularisés, mais privés d'un couronnement mystique qu'ils ne recevront que beaucoup plus tard.

Au XVIe siècle, trois tentatives convergent sur la Pucelle, tentatives (on devrait plutôt dire tentations) qui ne cesseront de réapparaître par la suite. Jeanne devient la proie de la rhétorique, de la critique et de la politique. Un érudit lui consacre une épopée latine. Un historien met en doute sa chasteté comme sa mission. Enfin, plusieurs patriotes sincères, au milieu des guerres de Religion, la proposent en exemple pour sceller l'union des Français.

Au XVIIe siècle, elle eût pu devenir la plus prestigieuse des héroïnes de la Fronde, si le malheureux chantre préposé à cet effet ne l'avait pétrifiée dans sa cuirasse. Elle n'en sert pas moins de bannière au féminisme des salons. Gloire aussi inattendue que le silence qui, durant la seconde moitié du siècle, va s'établir autour d'une figure admirablement faite pourtant pour illustrer la théorie de la royauté de droit divin.

Ingrid Bergman dans *Giovanna d'Arco al rogo* («Jeanne au bûcher») de Roberto Rossellini, d'après l'oratorio de Paul Claudel et Arthur Honegger.

Pareille méfiance du pouvoir absolu à son égard ne lui épargne pas cependant, au XVIIIe siècle, une infortune plus grave encore, qui est de se trouver au centre d'un conte licencieux. Mais les «lumières» ne font pas que jeter sur elle un jour trop cru : elles précipitent son retour en force, la remontée de son prestige. La Révolution acclame en elle un précurseur. L'Empire redouble d'enthousiasme et inaugure officiellement le culte de Jeanne, héroïne nationale.

Durant tout le XIXe siècle, défilent alors en rangs pressés les silhouettes innombrables de guerrières mafflues, les yeux au ciel, serrant un drapeau sur leur cœur. Les deux défaites de 1815 et de 1870 font plus pour la Pucelle que la prise d'Orléans, le sacre de Reims et le bûcher de Rouen réunis. Au milieu de cette inondation patriotique, la personnalité de Jeanne aurait risqué de disparaître complètement si quelques braves nageurs ne s'étaient attachés, malgré tout, à lui tenir la tête au-dessus de l'eau.

Notre siècle arrive enfin et, non content d'«inventer» l'atome au sens où saint Hélène «inventa» la croix, «invente», c'est-à-dire découvre et proclame la sainteté de Jeanne, et lui rend du même coup une âme. Après un dernier paroxysme pendant la guerre de 1914-1918 (avec, en écho, les pâles efforts d'Abel Bonnard, sous Vichy, pour identifier Pétain à la Pucelle), le flot patriotique décroît, laissant sur le sable, telle une petite ondine, la pure figure de Jeannette, humble, vaillante et martyre.

Peut-on espérer que cette jeune fille réelle, concrète, ne nous échappera plus, que l'enfant retrouvée par Péguy et Bernanos l'emportera de plus en plus sur la virago des ministres en activité et des militaires en retraite? On verra mieux alors qu'elle est non seulement la Judith des Français, mais aussi leur Antigone, et le silence de Corneille ou de Hugo sera enfin racheté.

Jean Bastiaire,
dans *Procès de Jeanne d'Arc*,
textes réunis et présentés par M. Estève,
Les Lettres modernes, Paris, 1962

Hommages à Jeanne

Deux écrivains, deux expériences différentes : pour Péguy, né à Orléans, Jeanne est un personnage familier. En 1897, alors qu'il est normalien et aborde des études qui renforceront son anti-cléricalisme, il publie cette pièce – «Jeanne d'Arc» –, la première d'une série sur Jeanne. Pour Malraux, qui a connu la guerre et l'occupation, Jeanne est la figure de la résistance et de la libération.

Commémoration de la mort de Jeanne d'Arc, par André Malraux

Au nom du Gouvernement français. Orléans, daté Rouen, 30 mai 1964

La résurrection de sa légende est antérieure à celle de sa personne, mais, aventure unique! la tardive découverte de sa personne n'affaiblit pas sa légende, elle lui donne son suprême éclat. Pour la France et pour le monde, la petite sœur de saint Georges devint Jeanne vivante par les textes du procès de condamnation et du procès de réhabilitation : par les réponses qu'elle fit ici, par le rougeoiement sanglant du bûcher. […]

Certes, Jeanne est fémininement humaine. Elle n'en montre pas moins, quand il le faut, une incomparable autorité. Les capitaines sont exaspérés par cette «péronnelle qui veut leur enseigner la guerre». (La guerre? Les batailles qu'ils perdaient, et qu'elle gagne…) Qu'ils l'aiment ou la haïssent, ils retrouvent dans son langage le «Dieu le veut» des Croisades. Cette fille de dix-sept ans, comment la comprendrions-nous si nous n'entendions pas, sous sa simplicité, l'accent incorruptible avec lequel les prophètes tendaient vers les rois d'Orient leurs mains menaçantes, et leurs mains consolantes vers la grande pitié du royaume d'Israël?

Avant le temps des combats, on lui demande : «Si Dieu veut le départ des Anglais, qu'a-t-il besoin de vos soldats? – Les gens de guerre combattront, et Dieu donnera la victoire.» Ni saint Bernard ni Saint Louis n'eussent mieux répondu.

Mais ils portaient en eux la chrétienté, non la France. […]

Lorsqu'on l'interroge sur sa soumission à l'Eglise militante, elle répond, troublée mais non hésitante :

«Oui, mais Dieu premier servi!» Nulle phrase ne la peint davantage. En face du dauphin, des prélats ou des hommes d'armes, elle combat pour l'essentiel : depuis que le monde est monde, tel est le génie de l'action. Et sans doute lui doit-elle ses succès militaires. Dunois dit qu'elle disposait à merveille les troupes et surtout l'artillerie, ce qui semble surprenant. Mais les Anglais devaient moins leurs victoires à leur tactique qu'à l'absence de toute tactique française, à la folle comédie héritée de Crécy à laquelle Jeanne mit fin. Les batailles de ce temps étaient très lourdes pour les vaincus; nous oublions trop que l'écrasement de l'armée anglaise à Patay fut de même nature que celui de l'armée française à Azincourt. Et le témoignage du duc d'Alençon interdit que l'on retire à Jeanne d'Arc la victoire de Patay puisque, sans elle, l'armée française se fût divisée avant le combat, et puisqu'elle seule la rassembla…

C'était en 1429, – le 18 juin.

Dans ce monde où Ysabeau de Bavière avait signé à Troyes la mort de la France en notant seulement sur son journal l'achat d'une nouvelle volière, dans ce monde où le dauphin doutait d'être dauphin, la France d'être la France, l'armée d'être une armée, elle refit l'armée, le roi, la France.

[…] Si, tout au long du procès, elle s'en remit à Dieu, elle semble avoir eu, à maintes reprises, la certitude qu'elle serait délivrée. Et peut-être, à la dernière minute, espéra-t-elle qu'elle le serait sur le bûcher. Car la victoire du feu pouvait être la preuve qu'elle avait été trompée. Elle attendait, un crucifix fait de deux bouts de bois par un soldat anglais posé sur sa poitrine, le crucifix de l'église voisine élevé en face de son visage au-dessus des premières fumées. (Car nul n'avait osé refuser la croix à cette

hérétique et à cette relapse…) Et la première flamme vint, et avec elle le cri atroce qui allait faire écho, dans tous les cœurs chrétiens, au cris de la Vierge lorsqu'elle vit monter la croix du Christ sur le ciel livide.

De ce qui avait été la forêt de Brocéliande jusqu'aux cimetières de Terre sainte, la vieille chevalerie morte se leva dans ses tombes. Dans le silence de la nuit funèbre, écartant les mains jointes de leurs gisants de pierre, les preux de la Table ronde et les compagnons de Saint Louis, les premiers combattants tombés à la prise de Jérusalem et les derniers fidèles du petit roi lépreux, toute l'assemblée des rêves de la chrétienté regardait, de ses yeux d'ombre, monter les flammes qui allaient traverser les siècles, vers cette forme enfin immobile, qui devenait le corps brûlé de la chevalerie.

Il était plus facile de la brûler que de l'arracher de l'âme de la France. Au temps où le roi l'abandonnait, les villes qu'elle avait délivrées faisaient des processions pour sa délivrance. Puis le royaume, peu à peu, se rétablit. Rouen fut enfin reprise. Et Charles VII, qui ne se souciait pas d'avoir été sacré grâce à une sorcière, ordonna le procès de réhabilitation. [...]

L'enquête commence.

Oublions, ah, oublions! le passage sinistre de ses juges comblés d'honneur, et qui ne se souviennent de rien. D'autres se souviennent. Long cortège, qui sort de la vieillesse comme on sort de la nuit... Un quart de siècle a passé. Les pages de Jeanne sont des hommes mûrs; ses compagnons de guerre, son confesseur ont les cheveux blancs. Ici débute la mystérieuse justice que l'humanité porte au plus secret de son cœur.

Cette fille, tous l'avaient connue, ou rencontrée, pendant un an. Et ils ont eux aussi oublié beaucoup de choses, mais non la trace qu'elle a laissée en eux. Le duc d'Alençon l'a vue une nuit s'habiller, quand, avec beaucoup d'autres, ils couchaient sur la paille : elle était belle, dit-il, mais nul n'eût osé la désirer. Devant le scribe attentif et respectueux, le chef de guerre tristement vainqueur se souvient de cette minute, il y a vingt-sept ans, dans la lumière lunaire... Il se souvient aussi de la première blessure de Jeanne. Elle avait dit : «Demain, mon sang coulera, au-dessus du sein.» Il revoit la flèche transperçant l'épaule, sortant du dos, Jeanne continuant le combat jusqu'au soir, emportant enfin la bastille des Tourelles... [...]

De ces centaines de survivants interrogés, depuis Hauviette de Domrémy jusqu'à Dunois, se lève une présence familière et pourtant unique, joie et courage, Notre-Dame la France avec son clocher tout bruissant des oiseaux du surnaturel. Et lorsque le XIXe siècle retrouvera ce nostalgique reportage du temps disparu, commencera, des années avant la béatification, la surprenante aventure : bien qu'elle symbolise la patrie, Jeanne d'Arc, en devenant vivante, accède à l'universalité. Pour les protestants, elle est la plus célèbre figure de notre histoire avec Napoléon; pour les catholiques, elle sera la plus célèbre sainte française. [...]

«Comment vous parlaient vos voix? lui avait-on demandé quand elle était vivante. – Elles me disaient : Va, fille de Dieu, va, fille au grand cœur...» Ce pauvre cœur qui avait battu pour la France comme jamais cœur ne battit, on le retrouva dans les cendres, que le bourreau ne put ou n'osa ranimer. Et l'on décida de le jeter à la Seine, «afin que nul n'en fît des reliques».

Elle avait passionnément demandé le cimetière chrétien. Alors naquit la légende.

Le cœur descend le fleuve. Voici le soir. Sur la mer, les saints et les fées de l'arbre-aux-fées de Domrémy l'attendent. Et à l'aube, toutes les fleurs marines remontent la Seine, dont les berges se couvrent des chardons bleus des sables, étoilés par les lys...

La légende n'est pas si fausse. Ce ne sont pas les fleurs marines que ces cendres ont ramenées vers nous, c'est l'image la plus pure et la plus émouvante de France. O Jeanne sans sépulcre et sans portrait, toi qui savais que le tombeau des héros est le cœur des vivants, peu importent tes vingt mille statues, sans compter celles des églises : à tout ce pour quoi la France fut aimée, tu as donné ton visage inconnu. Une fois de plus, les fleurs des siècles vont descendre... Au nom de tous ceux qui sont ou qui seront ici, qu'elles te saluent sur la mer, toi qui as donné au monde la seule figure de victoire qui soit une figure de pitié!

André Malraux,
Oraisons funèbres,
Gallimard, 1971

<u>Charles Péguy</u>

Adieu, Meuse endormeuse et douce à mon enfance,
Qui demeures aux prés, où tu coules tout bas.
Meuse, adieu : j'ai déjà commencé ma partance
En des pays nouveaux où tu ne coules pas.

Voici que je m'en vais en des pays nouveaux :
Je ferai la bataille et passerai les fleuves;
Je m'en vais m'essayer à de nouveaux travaux,
Je m'en vais commencer là-bas les tâches neuves.

Et pendant ce temps-là, Meuse ignorante et douce,
Tu couleras toujours, passante accoutumée,
Dans la vallée heureuse où l'herbe vive pousse,

O Meuse inépuisable et que j'avais aimée.
[...]
Tu couleras toujours dans l'heureuse vallée;
Où tu coulais hier, tu couleras demain.
Tu ne sauras jamais la bergère en allée,
Qui s'amusait, enfant, à creuser de sa main
Des canaux dans la terre, – à jamais écroulés.

La bergère s'en va, délaissant les moutons,
Et la fileuse va, délaissant les fuseaux.
Voici que je m'en vais loin de tes bonnes eaux,
Voici que je m'en vais bien loin de nos maisons.

Meuse qui ne sais rien de la souffrance humaine,
O Meuse inaltérable et douce à toute enfance,
O toi qui ne sais pas l'émoi de la partance,
Toi qui passes toujours et qui ne pars jamais,
O toi qui ne sais rien de nos mensonges faux,

O Meuse inaltérable, ô Meuse que j'aimais,
[...]
O maison de mon père où j'ai filé la laine,
Où, les longs soirs d'hiver, assise au coin du feu,
J'écoutais les chansons de la vieille Lorraine,
Le temps est arrivé que je vous dise adieu.

Tous les soirs passagère en des maisons nouvelles,
J'entendrai des chansons que je ne saurai pas;
Tous les soirs, au sortir des batailles nouvelles,
J'irai dans des maisons que je ne saurai pas.
[...]
O mon père, ô maman, quand on vous aura dit
Que je suis au pays de bataille et d'alarmes,
Pardonnez-moi tous deux ma partance et vos larmes,
Pardonnez ma partance et mon mensonge aussi,
Ma partance menteuse et vos souffrances lentes,
Et de vous dire adieu quand vous n'êtes pas là.

Pardonnez-moi tous deux; et vous aussi, mes frères,
Pardonnez tous les trois à votre sœur menteuse,
Et remplacez-moi bien auprès de notre père,
Et consolez maman de ma partance fausse,

O consolez maman de mon absence lente.

Charles Péguy,
Jeanne d'Arc, Acte I – «A Domrémy», 1897

Sainte Jeanne

Chose étonnante, c'est à deux historiens anti-cléricaux, Quicherat et Michelet, que l'on doit la canonisation de Jeanne. Quicherat a publié les deux procès (1841-1849), et Michelet l'a fait entrer dans son «Histoire de France», alors qu'un Bossuet ou un Fénelon n'avaient pas jugé utile d'en parler.

La canonisation de Jeanne

Tout commence le 8 mai 1869 à Orléans. On sait que le 8 mai représente pour les Orléanais une fête dont la tradition est bien fondée : elle s'est toujours déroulée depuis la date de 1430 […].

Mgr Dupanloup, évêque d'Orléans depuis vingt ans, avait invité à cette fête plusieurs évêques, ceux des diocèses par lesquels Jeanne avait passé lors de sa chevauchée. Il leur avait présenté et fait signer une adresse au pape Pie IX lui demandant que soit entreprise, en faveur de Jeanne d'Arc, la procédure devant aboutir à sa canonisation. Première démarche officielle que les événements qui suivirent, autant le concile Vatican I que la guerre de 1870, allaient laisser en suspens. Ce n'est qu'en 1874 que fut constitué le Tribunal diocésain chargé de présenter à la Curie romaine l'enquête préliminaire. Celle-ci, terminée deux ans plus tard, fut portée à Rome en 1876. Dès lors la procédure allait se dérouler selon les normes résumées et explicitées dans l'ouvrage du pape Benoît XIV, qui fut un savant canoniste (1740-1758) […]. C'est-à-dire que la cause était remise au jugement de la Sacrée Congrégation des Rites. En l'espèce, un véritable tribunal était constitué avec un postulateur, celui qui prend soin de la cause, indique les documents ou témoins à entendre, rédige les points sur lesquels devra porter l'interrogatoire, etc. […]

S'y intéressent aussi le cardinal rapporteur, choisi parmi ceux qui font partie de la Congrégation des Rites, le promoteur de la foi : c'est celui qu'on appelle «l'avocat du diable»; il est chargé de rédiger les questions à poser aux témoins, de veiller à l'observation exacte du droit et de la procédure, de soulever aussi toutes les objections qu'il croit nécessaires […]; enfin le notaire chargé de rédiger les actes. Autant de personnages qui mènent à bien ce premier procès. Il a pour but de rechercher les écrits de celui ou celle que l'on veut élever sur les autels; en l'espèce, Jeanne n'ayant laissé que quelques lettres bien connues et déjà publiées, la tâche leur fut facile. D'autre part on s'informe sur la renommée de sa sainteté, des vertus et des miracles. Enfin les cardinaux réunis dans la Congrégation des Rites décidèrent de soumettre à la signature du pape la commission d'introduction de la cause. C'était en janvier 1894. Le 27 de ce mois, le bref était signé par le pape Léon XIII.

A cette date Mgr Dupanloup était mort depuis déjà seize ans. Deux jours plus tard, le 29 janvier, son second successeur, Mgr Touchet, devenait évêque d'Orléans; il allait prendre activement en main le procès de Jeanne d'Arc. Dès le début de l'année suivante, 1895, il recevait de Rome l'ordre d'ouvrir un procès assez curieux qu'on appelle : de non-culte. En effet, si la *vox populi* était et demeurait indispensable, au XIXe siècle comme dans les premiers temps de l'Eglise, pour reconnaître la sainteté d'un personnage, le fait qu'il ait été l'objet d'un culte avant la décision finale ne pouvait que lui nuire. [...] En ce qui concerne Jeanne d'Arc, devait-on considérer comme manifestation de culte la fête populaire toute spontanée qui réunissait chaque 8 mai les Orléanais? Ici se place un épisode amusant qui montre à la fois combien un «avocat du diable» peut se montrer sourcilleux sur de telles questions et de quelle nature étaient les hommages rendus à Jeanne lors de sa fête. En effet à l'époque, la statue de Jeanne d'Arc, place du Martroi, à Orléans, se trouvait illuminée le soir au temps de la fête [...] par une auréole de flammes bleues au gaz, l'électricité

n'étant pas encore d'usage à l'époque, ou rarement comme chacun sait.

Or le promoteur en eut connaissance et s'en offusqua : une auréole, cela signifiait une sainte. Mais le tribunal orléanais lui fit savoir que le même décorateur qui avait entouré de flammes bleues l'héroïne en avait fait autant pour la statue de la République, en face de l'ancien lycée Pothier! [...] Finalement les conclusions du procès de non-culte étaient prêtes et portées à Rome dès 1896. Le procès allait entrer dans la phase suivante au début de 1897 : étude de ce qu'on appelle l'«héroïcité des vertus» de Jeanne d'Arc. Cette étude est menée par un tribunal diocésain dont Mgr Touchet prit la présidence [...]. Ici l'hagiographie au sens propre s'appuie sur l'histoire, car c'est évidemment l'ouvrage de Jules Quicherat, paru de 1841 à 1849, et réunissant la documentation du XVe siècle alors connue sur Jeanne d'Arc, à commencer par les deux procès, de condamnation et de réhabilitation, qui fut pris pour base des travaux; ce qui ne laisse pas d'être paradoxal lorsqu'on sait que Jules Quicherat, s'il fut un admirable érudit, était aussi un athée et un anticlérical convaincu. [...] Le tribunal tint cent vingt-deux sessions dont quelques-unes durèrent jusqu'à dix heures par jour, entre le 1er mars et le 22 novembre 1897. On vit défiler comme témoins tous les spécialistes de l'histoire de Jeanne [...]. Le compte rendu faisait plus de trois mille pages in-folio et l'imprimerie du Vatican qui a rassemblé le total des enquêtes produisit dix-sept volumes, toujours in-folio, pour l'ensemble de ce procès de canonisation de Jeanne d'Arc.

Trois sessions se succédèrent à la Sacrée Congrégation des Rites, pour réviser et au besoin modifier les conclusions de ce tribunal. La troisième, fixée au 14 juillet 1903, devait être présidée par Léon XIII. Mais il était alors sur son lit de mort et l'une de ses dernières paroles, la dernière en tout cas qu'on ait pu entendre, fut pour dire : «Je sais qu'on prie pour nous, Jeanne d'Arc, à Orléans et ailleurs…» Enfin le 6 janvier 1904, le nouveau pape Pie X reconnaissait l'héroïcité des vertus de Jeanne.

Restait l'examen des miracles. Il en fallait au moins deux, dûment étudiés et reconnus, pour pouvoir proclamer la béatification. On en proposa trois : des guérisons survenues de façon miraculeuse chez des religieuses, en 1891, 1893 et 1900. Dans chaque cas les prières, les neuvaines à la «vénérable Jeanne d'Arc» avaient été suivies d'une guérison parfaitement inattendue et constatée. Soumis à la Congrégation des Rites, ces miracles allaient être reconnus […]. Finalement la cérémonie de béatification fut célébrée à Saint-Pierre de Rome le 18 avril 1909 […]. La cérémonie avait amené à Rome quarante mille pèlerins français. Fait assez remarquable, car on se trouvait alors en pleine bagarre anticléricale, conséquence des mesures prises pour proclamer en France la séparation de l'Eglise et de l'Etat, et en bannir toutes les congrégations religieuses. C'est assez dire que les complaisances du pouvoir en place, durant cette phase de la Troisième République, ne pouvaient guère se manifester à l'occasion d'une telle cérémonie! La vie de Jeanne, marquée de tous les paradoxes imaginables (une petite paysanne qui devient homme de guerre, un homme de guerre qui n'a jamais tué personne et s'en vante, etc.), se manifestait à nouveau et de façon éclatante. Et ce qu'on ignore généralement, c'est que dans ce même temps un courant de vénération toute

laïque se manifestait, en France même, pour Jeanne d'Arc, et dans les milieux les plus officiels puisque, dès la date de 1884, un député radical, Joseph Fabre, avait pris l'initiative d'une loi en vertu de laquelle «la République française célébrerait annuellement la fête de Jeanne d'Arc, fête du patriotisme»; sa proposition, bien qu'appuyée par deux cent cinquante députés, n'avait pas été retenue. Mais, devenu sénateur en 1892, Joseph Fabre faisait voter par le Sénat cette même proposition de loi. Elle n'aboutit cependant pas et le même Joseph Fabre constatait un peu plus tard, en 1912, que, bien qu'elle n'ait pas encore été réalisée, les Français devraient aboutir à une «trêve civique» pour pouvoir célébrer Jeanne d'Arc en laquelle s'incarnait, disait-il, «l'indépendance et la grandeur françaises».

Mais cela n'a rien à voir avec le procès de canonisation de Jeanne que Mgr Touchet, infatigable, implorait du pape Pie X le 6 janvier 1910. Sa demande était agréée et le procès entrepris dès le 23 février suivant.

La vie de la sainte ayant déjà fait par deux fois l'objet d'examens lors de la béatification, c'est surtout sur l'examen des miracles que porte le procès de canonisation proprement dit. Il doit y en avoir deux au moins, qui seront discutés à Rome par trois tribunaux différents […]. Trois autres miracles furent donc soumis aux théologiens orléanais, auxquels on adjoignit des médecins-experts. Le premier fut écarté comme n'étant pas assez probant […]. Les deux autres – des guérisons miraculeuses dont l'une s'était produite à Lourdes en 1909, au moment où la foule invoquait la «bienheureuse Jeanne d'Arc» – allaient être finalement retenus lors des réunions de la Congrégation des Rites qui eurent lieu le 26 mai 1914. On sait les événements qui suivirent. Le pape, qui avait d'abord suspendu l'examen de la cause, l'avait remise à l'étude quinze jours avant la date fameuse du 2 août suivant. Il devait mourir le 20 août [...].

Son successeur, le pape Benoît XV, reconnaissait définitivement le 18 mars 1919 la validité des miracles. Et c'est l'année suivante, le 16 mai 1920, que Jeanne fut reconnue sainte aux yeux de la chrétienté, devant quarante cardinaux, trois cents évêques et une foule innombrable de pèlerins français. Si les relations diplomatiques n'étaient pas encore rétablies entre le Saint-Siège et la France, celle-ci fut néanmoins représentée par l'académicien Gabriel Hanotaux dont l'*Histoire de Jeanne d'Arc* faisait autorité. [...]

Ainsi se terminait, au bout de cinquante et un ans, ce procès de canonisation «prestement bâclé», et l'on ne peut manquer de souligner que l'initiative poursuivie avec obstination par Joseph Fabre de faire de la fête de Jeanne d'Arc une fête nationale se réalisait quelque temps après cette canonisation, le 24 juin 1920.

Régine Pernoud,
La Vierge et les saints au Moyen Age,
Christian de Bartillat, 1991

L'environnement religieux de Jeanne

Le temps de Jeanne d'Arc représente dans l'histoire de l'Eglise une époque troublée, de même que dans l'histoire de la société : [...] on assiste alors au Grand Schisme – les quelque quarante ans qui virent deux, voire trois papes –, une sorte d'interrègne qui n'aura pris fin qu'avec l'élection de Martin V en 1417 – Jeanne est alors fillette de 5 à 6 ans. Or cet interrègne faisait suite aux soixante-dix ans de la «captivité de Babylone»,

comme a été nommé le séjour des papes en Avignon où ils étaient rigoureusement sous la coupe du roi de France et de l'université de Paris [...].

Au reste, si notre conception d'une Eglise «hiérarchique» nous incite à juger de l'état de l'Eglise d'après celui de la papauté, il faut reconnaître qu'en l'occurrence, le sondage en profondeur que permet l'étude notamment du procès en nullité de la condamnation de Jeanne, amène à modifier les vues exagérément globales : dans ce pays ravagé par la guerre, profondément divisé par les factions qu'accentuent les circonstances de l'occupation ennemie, le peuple reste remarquablement instruit de sa foi et fidèle à celle-ci. Les rythmes de la journée restent marqués par la cloche de l'église, celle-ci joue un rôle d'accueil matériel et de centre d'une vie pastorale [...]. Il est vrai que la vie est alors rythmée par le calendrier liturgique beaucoup plus que par les événements qu'on appelle médiatiques. Encore peut-on y reconnaître une forme de culture et constater qu'elle reste transmise en des temps affreusement troublés par la guerre, les retours d'épidémies, les désordres qui découlent de la folie royale et des ambitions qu'elle suscite autour du trône.

Pourtant la piété générale se ressent des troubles de l'époque. Dans l'église Saint-Nicolas de Neufchâteau, où Jeanne se réfugia avec sa famille lors d'une attaque lancée durant sa jeunesse contre Domrémy et Vaucouleurs, se trouve un de ces «sépulcres», ensemble de statues représentant la mise au tombeau du Christ, qui sont alors nombreux, tout comme les pietà, la Vierge de pitié contemplant, étalé sur ses genoux, le cadavre de son Fils descendu de la croix; évocations douloureuses devenues familières à la piété du temps, et qui contrastent avec les Christ en gloire de l'époque romane et gothique. La personne même de Jeanne, toute d'élan, d'une gaieté foncière qui ne l'abandonnera même pas dans la prison de Rouen, semble d'ailleurs plus proche des représentations radieuses […] que de l'entourage immédiat porté à un certain «dolorisme» d'ailleurs compréhensible […]. Ce n'est pas le seul point à propos duquel Jeanne semble faire revivre les valeurs qui l'ont précédée au sein même de l'action militaire menée avec les moyens propres à son temps à elle. On verra qu'elle se souvient de la trêve de Dieu dont les préceptes ordonnaient de ne pas entreprendre de combats le dimanche ou les jours de fête quand, au lendemain de la victoire d'Orléans, elle ordonne de ne pas attaquer les débris de l'armée anglaise «en l'honneur du saint dimanche». A une époque où la chevalerie n'est plus guère que l'ombre d'elle-même, réduisant à des catégories honorifiques les devoirs du chevalier qui avaient nourri une société, qui avaient même engendré le genre littéraire du roman, au temps du conte du Graal, […] subsiste chez Jeanne, comme il devait en être dans l'ensemble du peuple, un souvenir proche et vivace du temps des chevaliers.

Sans doute est-ce la plus forte «influence» qui se soit exercée sur Jeanne : celle, diffuse, d'une mentalité encore nourrie de ce qui déjà a disparu dans les hautes sphères de la société. Une Christine de Pisan avait parfaitement perçu dans l'entourage des ducs, des princes et des barons qui était le sien, surtout dans sa jeunesse, cette disparition des valeurs courtoises, qui portaient à respecter la femme en même temps qu'à demeurer fidèle aux principes de la paix de Dieu, qui avaient vu le jour à la fin du Xe siècle. Entre cette

époque et celle de Froissart, qui énumère les règles de la chevalerie comme une sorte de code d'honneur entre combattants, lequel n'est déjà plus respecté ni à Crécy ni bien sûr à Azincourt, entre le temps de la chevalerie et le temps des ordres de chevalerie, c'est toute une dévaluation qui s'accomplit dans la noblesse mais ne semble pas avoir touché le peuple. Il est vrai qu'il ne se bat pas à l'époque et que de la guerre il ne reçoit que le contrecoup, le pillage […].

Ecoute et réponse

La vie de Jeanne d'Arc, cette vie si courte et si remplie, d'un apport si décisif dans les conditions les plus paradoxales qui soient, amène, si l'on y réfléchit, à poser une question paradoxale aussi : Jeanne a-t-elle voulu «faire quelque chose pour Dieu»? Y a-t-il au départ une intention personnelle émanant d'elle? Une ambition, ou seulement un désir de concourir à remédier à «la grande pitié» qu'elle voyait en France?

Il ne semble pas qu'on puisse répondre affirmativement à cette question. Si discrète que soit l'évocation des origines de sa mission, il semble au contraire qu'elle se soit énergiquement défendue de souhaiter ou désirer elle-même une action quelconque pour venir au secours de son pays ou réaliser une mission afin de contribuer à sa sauvegarde, à la restauration du royaume ou au départ de l'occupant. On ne peut certes comparer que ce qui est comparable : mais aurait-elle, en d'autres temps, cherché à mettre en place un réseau de résistance? On peut se le demander.

Elle semble au contraire s'être défendue, avec toute l'énergie dont elle est capable, d'entreprendre quoi que ce

soit : elle répondit qu'elle était «une pauvre femme qui ne saurait chevaucher ni mener une guerre». Elle reconnaît que dès son jeune âge, elle avait «bonne volonté que le roi eût son royaume», mais elle précise aussi lorsqu'on veut savoir quelles révélations elle tient de saint Michel, qu'elle «ne serait venue en France sinon du commandement de Dieu» [...].

Autrement dit, Jeanne qui, tout au long de sa vie publique, nous fait l'effet d'un être volontaire, sans cesse en désaccord avec les capitaines et surtout avec les gens de cour qui prétendent à quelque autorité sur les mouvements de l'armée, voire les décisions du roi, Jeanne donc, du point de vue spirituel, nous fait l'effet d'un être de réponse beaucoup plus que d'un être de décision appliquant un plan personnel, comme l'ont été par exemple certains fondateurs d'ordre. Là est probablement son être profond : elle est à l'écoute de quelqu'un d'autre, animée d'un seul souci : répondre à ce quelqu'un en se conformant exactement aux instructions qu'elle en reçoit. [...]

Jeanne n'a que des réponses simples, celles, dirions-nous, d'un bon sens paysan et aussi d'une tradition ancrée chez nous durant les siècles féodaux. Si on lui parle «double monarchie», elle répond : «roi légitime». Et si l'on avance comme

raison la conquête anglaise, qui visiblement «va dans le sens de l'histoire» – diraient les intellectuels de notre temps comme du sien –, elle constate placidement : «Quant aux Anglais, la paix qu'il y faut, c'est qu'ils s'en aillent dans leur pays, en Angleterre.» [...]

L'obéissance sans faille supprime-t-elle d'ailleurs l'initiative personnelle? Jeanne, elle-même, reste très consciente des difficultés que rencontre, dans sa situation paradoxale, l'ordre de Dieu auquel elle veut rester fidèle. Et chose curieuse, les juges mêmes de Rouen ont fini par entrer en quelque sorte en son propre jeu. Ce sont eux-mêmes qui lui demandent lorsqu'ils veulent éclaircir la révélation qu'elle eut à Melun, comme quoi elle serait fait prisonnière : «Si vos voix vous avaient commandé de sortir et signifié que vous seriez prise, y seriez-vous allée (à Compiègne)?» A quoi Jeanne répond : «Si j'avais su l'heure et que je doive être prise, je n'y serais pas allée volontiers. Toutefois, j'aurais fait le commandement de mes voix à la fin, quelque chose qui doive en advenir.» [...] Il n'y a qu'un cas, un seul, à propos duquel elle ait pu s'accuser de désobéissance : à propos du saut qu'elle fit d'une fenêtre de la tour de Beaumanoir pour tenter de s'échapper.

[...] Et le juge d'insister : «Quand vous avez sauté, vouliez-vous vous tuer?» «Non, répond Jeanne, mais en sautant je me suis recommandée à Dieu et je croyais par le moyen de ce saut, échapper et m'évader afin de n'être pas livrée aux Anglais.» Mais quand on lui demande si elle a fait pénitence d'avoir ainsi désobéi, elle fait remarquer qu'«elle porta suffisamment de pénitence du mal qu'elle se fit en tombant»! Nous retrouvons ici ce bon sens qui caractérise Jeanne et qui écarte d'elle tout soupçon d'illuminisme ou d'exaltation.

En revanche, il faut souligner la part personnelle qu'elle apporte dans cette adhésion à la volonté de Dieu. On pourrait supposer quelque passivité chez un être qui tient d'abord à écouter les révélations qui lui sont faites et montre un tel souci de ne pas s'en écarter. Elle précise certain jour à propos de ses révélations : «J'ai eu *volonté* d'y croire.» [...] Il eût été surprenant que chez une personnalité aussi marquée, l'obéissance demandée eût ressemblé à la résignation ou à la crédulité, voire à l'automatisme du robot. Dire oui à Dieu n'entraîne pas l'aveuglement, mais au contraire, la clarté : du moins, est-ce ce que l'exemple de Jeanne démontre à l'évidence. Et l'on ne peut apprécier sainement sa réaction au «conseil» qu'elle écoute si l'on ne sait par ailleurs qu'elle a eu «volonté d'y croire». [...]

Un être de foi

Que Jeanne, tout au long de sa courte vie, ait été avant tout un être d'écoute, de fidélité à une voix intérieure, signifie bien évidemment, qu'elle est essentiellement un être de foi. Sa vie, répétons-le, est une réponse. Lorsqu'elle a compris et expérimenté, en quelque sorte, que la voix mystérieuse qui

s'adresse à elle est message divin, elle cesse d'hésiter et n'a plus dès lors qu'un seul but : se conformer à ce que lui disent saint Michel, sainte Catherine, sainte Marguerite, puisqu'ils sont les porteurs du message.

On en revient donc, après l'épreuve exceptionnelle qu'elle subit à Rouen, comme après ces premières épreuves décisives qu'ont été les exploits sur le champ de bataille, à un sentiment très simple, tout à fait conforme à la prière que Jeanne nous a fait connaître : cette vie est un acte de foi, la réponse à une demande providentielle. Ce qui amènerait à penser, sans vouloir pousser trop loin le paradoxe [...], qu'elle n'eût sans doute pas été moins sainte si Dieu ne lui avait rien demandé. Les exigences divines ont été à son endroit bouleversantes et, on peut le dire, exorbitantes; mais avant d'en être informée, Jeanne vivait une foi à la mesure de ce qui était attendu d'elle; et probablement ce qui fait sa sainteté – la qualité de sa vie spirituelle – était-elle la même avant l'appel entendu «du côté droit, dans le jardin de son père». Les épreuves traversées, aussi bien celles qui lui ont permis d'arriver à Chinon, de libérer Orléans, de faire sacrer le roi à Reims, sont un témoignage de la foi qui l'anime, qui certainement se sera fortifiée et développée encore à les vivre; mais on peut se demander si cette foi qui fait l'essence de sa sainteté, n'était pas la même au cours de ses treize premières années. [...]

On en trouve une sorte de contre-épreuve dans le témoignage de ceux qui vivaient à ses côtés. [...] De cet ensemble de voix concordantes, bien que chacun ait eu sa remarque personnelle à faire, se dégage une impression d'une admirable fraîcheur. Non seulement en ce qui concerne Jeanne elle-même, mais aussi la piété, la justesse du regard chez ces paysans dont on sent qu'ils sont eux-mêmes pénétrés de l'Evangile, celui que leur prêche le curé. Leurs propos émanent visiblement d'âmes droites. Ils ont vécu pourtant les horreurs de la guerre, de l'invasion, [...] mais chez eux aussi la foi est présente, et l'Evangile; quels que soient les dispositions particulières de chacun, et chez tous le jeu des faiblesses et des passions, l'Evangile a été implanté et a porté ses fruits. [...].

Impossible de n'être pas frappé de la différence d'atmosphère qui émane entre leur sérénité, et l'acharnement inquiet des juges et assesseurs de Rouen, préoccupés de savoir si Jeanne avait «une mandragore»! [...] Et c'est le cas de remarquer ce qui est une constante dans notre monde : que ceux qui ont choisi de manier les abstractions n'aboutissent qu'à la matérialité, alors que le spirituel

s'incarne dans le concret.

Face aux premières idéologies, aux constructions naissantes d'intellectuels sûrs d'eux-mêmes et de leurs raisonnement – appuyés qu'ils sont par les puissances qu'ils considèrent comme allant «dans le sens de l'Histoire» – Jeanne représente la Foi : la Foi dans sa simplicité, sa puissance aussi [...].

«La sainte du temporel» disait le cardinal Jean Daniélou. Etrange sainteté qui se traduit par des départs, des chevauchées, des combats, des moments de sieste brutalement interrompus, l'obligation d'être là où on ne souhaite pas sa présence – par exemple lors des conseils que tiennent entre eux capitaines et gens d'armes –, d'entraîner un monde sans cesse réticent, à commencer par l'entourage royal, de faire toute autre chose que ce que demandait sa situation de paysanne [...]. Il a fallu un primat intense de la vie intérieure, pour qu'elle-même ne se trouve pas par instant perdue, désorientée, prise d'anxiété ou de simple découragement. Peut-être a-t-elle connu ce sentiment durant la période d'inaction, l'hiver 1429-1430, et plus probablement encore dans sa prison, en dépit du réconfort que lui apporte la «voix» quotidiennement entendue. Et l'on peut mesurer précisément la profondeur de sa foi à cette stabilité intérieure, qui lui permet de répondre jusqu'au dernier moment aux interrogatoires impitoyables [...].

On comprend alors la réflexion du cinéaste Gleb Panfilov disant (c'était en 1970 au temps où personne n'imaginait la liquéfaction future de l'URSS) : «Jeanne d'Arc, la plus moderne des héroïnes : elle a tenu pendant le procès.»

Régine Pernoud,
La Spiritualité de Jeanne d'Arc,
Mame, 1992

De Méliès à Rivette

Une quarantaine de films en tout : telle est la fortune cinématographique de Jeanne. On la retrouve sous les traits d'Ingrid Bergman, de Michèle Morgan, de Jean Seberg, de Simone Genevois – la seule qui avait l'âge de son rôle – et aujourd'hui, dans le dernier film de Jacques Rivette, de Sandrine Bonnaire.

- 1898 *Jeanne d'Arc*, de Georges Hatot.
- 1900 *Jeanne d'Arc*, de Georges Méliès. Int. : Louise d'Alcy.
- 1908 *Jeanne d'Arc*, d'Albert Capellani.
- 1909 *Vie de Jeanne d'Arc*, de Mario Caserini. Int. : Maria Gasperini.
- 1913 *Giovanna d'Arco*, de Nino Oxilia. Int. : Maria Jacobini.
- 1917 *Jean the woman* (Jeanne d'Arc), de Cecil Blount De Mille. Int. : Géraldine Farrar.
- 1928 *La Passion de Jeanne d'Arc*, de Carl Th. Dreyer. Int. : Renée Falconetti. (réédition sonore en 1952).
- 1928 *La Merveilleuse Vie de Jeanne d'Arc*, de Marc de Gastyne. Int. : Simone Genevois.
- 1935 *Das Mädchen Joanna* (La Pucelle d'Orléans), de Gustav Ucicky. Int. : Angela Salloker.
- 1948 *Joan of Arc* (Jeanne d'Arc), de Victor Fleming. Int. : Ingrid Bergman.
- 1954 *Giovanna d'Arco al Rogo* (Jeanne au bûcher), de Roberto Rossellini. Int. : Ingrid Bergman.
- 1954 *Jeanne*, de Jean Delannoy. Int. : Michèle Morgan.
- 1956 *Jehanne*, de Robert Enrico. (Court-métrage documentaire d'après des miniatures médiévales).
- 1957 *Saint Joan* (Sainte Jeanne), d'Otto Preminger. Int. : Jean Seberg.
- 1961 *Jeanne au vitrail*, de Claude Antoine. (Documentaire d'après des vitraux).
- 1962 *Le Procès de Jeanne d'Arc*, de Robert Bresson. Int. : Florence Carrez.
- 1962 *Histoire de Jeanne*, de Francis Lacassin. (Documentaire d'après des documents du XVe siècle).
- 1970 *Le Début*, de Gleb Panfilov. Int. : Inna Tchourikova.
- 1994 *Jeanne la pucelle*, de Jacques Rivette. 1 – Les batailles. 2 – Les prisons. Int. : Sandrine Bonnaire.

La *Passion de Jeanne d'Arc* de Carl Dreyer, 1928 : ci-dessus, Renée Falconetti menée au bûcher. Dans ce film, figurait également Antonin Artaud.

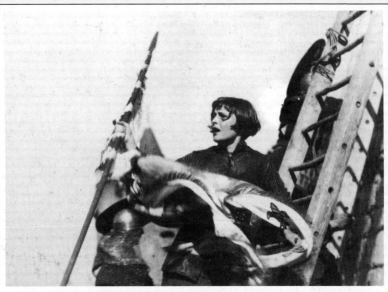

Ci-dessus, Simone Genevois en 1928 dans *La Merveilleuse Vie de Jeanne d'Arc* de Marc de Gastyne ; ci-dessous, Angela Salloker en 1935 dans le film de Gustav Ucicky.

Ingrid Bergman en 1948 dans *Joan of Arc* de Victor Fleming.

J ean Seberg en 1957 (ci-dessus) dans une scène du procès de *Saint Joan*, d'Otto Preminger, et Florence Carrez en 1962 dans la scène de l'abjuration (ci-dessous), dans *Le Procès de Jeanne d'Arc* de Robert Bresson.

I nna Tchourikova dans *Le Début* de Gleb Panfilov : l'histoire d'une actrice dont la vie privée est bouleversée par le tournage d'un film sur Jeanne.

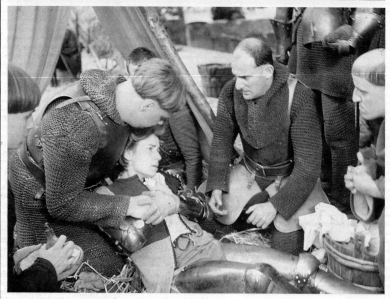

Sandrine Bonnaire dans *Jeanne la Pucelle* de Jacques Rivette. Avec Rivette, on assiste à toute la trajectoire de Jeanne, de Vaucouleurs à Rouen : ses hauts faits, mais aussi ses moments d'attente, d'impatience, de découragement. La durée telle qu'elle l'a vécue. «On ne connaît de Jeanne que des moments figés, des tableaux, des postures : Jeanne au bûcher, Jeanne à cheval, ou à genoux devant le dauphin. Ce qui nous intéressait, c'était de voir le mouvement qui liait toutes ces stations, de savoir, à partir du moment où elle arrive à Vaucouleurs, à quelle vitesse elle franchit ces étapes – deux ans c'est très court; et aussi de découvrir la multiplicité et la diversité des rencontres qu'elle a faites, de voir qu'elle s'est beaucoup ennuyée, qu'elle était captive bien avant le procès, etc. Plus on lit de choses sur Jeanne, plus le mystère devient opaque; elle est à la fois transparente et mystérieuse, à la fois simple et étrange. Nous avons choisi d'être guidés par le regard des autres sur elle, le fait qu'ils n'étaient jamais sûrs qu'elle fût de Dieu ou du diable... » (Interview de Pascal Bonitzer et Christine Laurent, scénaristes de *Jeanne la Pucelle*.)

BIBLIOGRAPHIE

Pierre Lanéry-d'Arc, qui est un descendant de la famille de Jeanne, est l'auteur de l'unique bibliographie parue à ce jour :
Bibliographie raisonnée et analytique des ouvrages relatifs à Jeanne d'Arc. Catalogue méthodique, descriptif et critique des principales études historiques, littéraires et artistiques consacrées à la Pucelle d'Orléans, depuis le XVe siècle jusqu'à nos jours. Librairie Techener, 1894.

Expositions

Jeanne d'Arc et son temps, musée des Beaux-Arts, Rouen, 1956.
Images de Jeanne d'Arc, hôtel de la Monnaie, Paris, 1979.
Jeanne d'Arc : images d'une légende, musée des Beaux-Arts et bibliothèque municipale, Rouen, 1979.
Jeanne d'Arc et sa légende, musée des Beaux-Arts, Tours, 1979.

Ouvrages de Régine Pernoud sur Jeanne d'Arc

Vie et mort de Jeanne d'Arc. Les témoignages du procès de réhabilitation, Hachette, 1953 (réédition poche coll. «Marabout», 1979).
Telle fut Jeanne d'Arc, Fasquelle, 1956 (avec Mireille Rambaud).
Jeanne d'Arc par elle-même et par ses témoins, Seuil, 1962 (réédition 1981).
8 mai 1429. La Libération d'Orléans, coll. «Trente Journées qui ont fait la France», Gallimard, 1969.
Jeanne devant les Cauchons, Seuil, 1970.
Jeanne d'Arc, coll. «Que sais-je?», P.U.F., 1981.
Jeanne d'Arc, Seuil, 1981.
Jeanne d'Arc, Fayard, 1988 (avec Marie-Véronique Clin. Edition de poche Hachette Pluriel, 1992)
La Spiritualité de Jeanne, Mame, 1992.

Publication des procès de Jeanne d'Arc

Quicherat (Jules), *Procès de condamnation et de réhabilitation de Jeanne d'Arc*, 5 volumes, Paris 1841-1849.
O'Reilly (E.), *Les deux procès [...] mis pour la première fois intégralement en français d'après les textes latins originaux officiels...*, Paris, 1868.
Champion, *Procès de condamnation de Jeanne d'Arc*, H. Champion, 1920.
Brasillach (Robert), *Le Procès de Jeanne d'Arc*, Gallimard, 1941 (morceaux choisis).

Ouvrages publiés sous le patronage de la Société de l'histoire de France, par la Fondation du département des Vosges :
– Tisset (Pierre) et Lanhers (Yvonne), *Procès de condamnation de Jeanne d'Arc*, 3 volumes, Paris, 1960-1971.
– Duparc (Pierre), *Procès en nullité de la condamnation de Jeanne d'Arc*, Klincksieck, 1977-1983.

Monographies historiques

Bourassin (Emmanuel), *Jeanne d'Arc*, Librairie académique Perrin, 1977.
Defourneaux (Marcelin), *La Vie quotidienne au temps de Jeanne d'Arc*, Hachette, 1952.
Duby (Georges et Andrée), *Les Procès de Jeanne d'Arc*, coll. «Archives», Gallimard-Julliard, 1973.
Fabre (Lucien), *Jeanne d'Arc*, Tallandier, 1977.
Grandeau (Yann), *Jeanne insultée. Procès en diffamation*, Albin Michel, 1973.
Hanotaux (Gabriel), *Jeanne d'Arc*, Hachette, 1911.
Jeanne d'Arc, une époque, un rayonnement, actes du colloque d'Orléans, publiés sous la direction de Jean Glénisson. CNRS, 1979.
Krumeich (Gerd), *Jeanne d'Arc à travers l'histoire*, Albin Michel, 1993.
Marot (Pierre), *Le Pays de Jeanne d'Arc*, Alpina, 1951.
Prévost-Bouré (Jacques), *Jean de Luxembourg et Jeanne d'Arc*, Nouvelles Editions Debresse, 1981.

Œuvres littéraires

Anouilh (Jean), *L'Alouette*, coll. «Folio», Gallimard, 1973.
Arnoux (Alexandre), *Faut-il brûler Jeanne?* (mystère en trois journées), Gallimard, 1954.
Audiberti (Jacques), *La Pucelle*, 1950.
Baïlac (Geneviève), *Jeanne et Thérèse*, Seuil, 1984.
Bernanos (Georges), *Jeanne relapse et sainte*, coll. «Pléiade», Gallimard.
Chapelain (Jean), *La Pucelle ou la France délivrée*, 1656.
Claudel (Paul), *Jeanne d'Arc au bûcher*, coll. «Pléiade», Gallimard, 1965.
Delteil (Joseph), *Jeanne d'Arc*, Grasset, 1925.

Dumas (Alexandre), *Jehanne la Pucelle.*
France (Anatole), *Vie de Jeanne d'Arc*, 1908
Malraux (André), «Commémoration de la mort de Jeanne d'Arc», dans *Oraisons funèbres*, Gallimard, 1971.
Maulnier (Thierry), *Jeanne et les juges*, 1949.
Michelet (Jules), *Jeanne d'Arc*, coll. «Folio», Gallimard, 1974.
Péguy (Charles),
– *Jeanne d'Arc* (drame en trois pièces);
– *Le Mystère de la charité de Jeanne d'Arc;*
– *Le Mystère de la vocation de Jeanne d'Arc*, coll. «Pléiade», Gallimard, 1957.
Schiller, *La Pucelle d'Orléans*, Montaigne, 1922.
Shakespeare, *Henry VI*, coll. «Pléiade», Gallimard.
Shaw (Georges Bernard), *Sainte Jeanne*, Calmann-Lévy, 1925.
Tournier (Michel), *Gilles et Jeanne*, coll. «Folio», Gallimard.
Twain (Mark), *Joan of Arc* (1896).
Voltaire, *La Pucelle*, 1762.

TABLE DES ILLUSTRATIONS

COUVERTURE

1er plat *Jeanne d'Arc au sacre du roi Charles VII*, tableau de Jean-Auguste-Dominique Ingres, 1854. Musée du Louvre, Paris.
Dos *Inauguration de la statue de Jeanne d'Arc de Marie d'Orléans*, détail du tableau de Auguste Vinchon, 1848. Musée du château, Versailles.
4e de couv. Renée Falconetti dans le film de Carl Dreyer, *La Passion de Jeanne d'Arc*. Production Société Générale de Films, 1928.

OUVERTURE

1 Détail de la scène du bûcher de l'*Histoire de Jeanne d'Arc*, série des fresque de Jules Lenepveu (1819-1898). Eglise du Panthéon, Paris.
3 Jeanne gardant ses moutons, *idem.*
5 Jeanne au siège d'Orléans, *idem.*
7 Jeanne au sacre de Charles VII, *idem.*
9 Jeanne au bûcher, *idem.*
11 *Jeanne faisant bénir son étendard au Saint-Sauveur de Blois*, tableau de Charles-Henri Michel, 1901. Château de Blois.

CHAPITRE I

12 *Le Départ de Vaucouleurs*, tableau de Jean-Jacques Scherrer. Hôtel de Ville, Vaucouleurs.
13 Maison natale de Jeanne d'Arc à Domrémy.
14hg Sceau d'Henri V de Lancastre, roi de France et d'Angleterre.
14 Carte de la France occupée au temps de Jeanne d'Arc.
15 La porte de France à Vaucouleurs.
16h «La Pucelle», Jeanne en paysanne, miniature extraite d'une copie manuscrite du procès de réhabilitation. Bibliothèque nationale, Paris.
16b Jeanne en prière, statue de Henri-Michel-Antoine Chapu, 1870. Musée du Luxembourg, Paris.
17 Fuite des habitants de Domrémy, illustration de O.D.U Guillonnet pour l'ouvrage de Funck-Brentano, *Jeanne d'Arc*, 1912.
17hd Jeanne filant et son père, bois gravé XVIe siècle.
18-19 *Jeanne d'Arc*, tableau de Jules Bastien-Lepage, 1879. Metropolitan Museum of Art, New York.
19 *Jeanne écoutant ses voix*, statue de François Rude, 1845-1852. Musée du Louvre, Paris.
20 *Vision*, par Alphonse Osbert, 1892. Musée d'Orsay, Paris.
21 *Jeanne d'Arc écoutant les voix*, dessin préparatoire de Léon Bénouville, crayon et craie sur papier, 1858. Musée des Beaux-Arts, Reims.
22-23h Le départ de Vaucouleurs, bas-relief de Vital-Gabriel Dubray, ornant la statue équestre de Jeanne par Denis Foyatier. Place du Martroi, Orléans.
23b Jeanne menée au roi. miniature extraite des *Vigiles du roi Charles VII*, 1484, par Martial d'Auvergne. Bibliothèque nationale, Paris.
24 Ruines du logis de Charles VII à Chinon, aquarelle du XVIIe siècle, coll. Gaignières. Bibliothèque nationale, Paris.
24-25 Vue actuelle de Chinon.
25 Jeanne et Charles VII dans la grande salle du château, lithographie d'après un des huit tableaux de P. Carrier-Belleuse réalisés pour un panorama.
26-27 *Jeanne d'Arc à Chinon*, deux détails d'un tableau de Victor-Marie Leduc.
27 Jeanne devant le roi, miniature de la *Chronique abrégée des rois de France*, XVe siècle. Bibliothèque nationale, Paris.
28 Jeanne en armure, miniature sur parchemin, XVe siècle. Archives nationales, Paris. (don de M. et Mme Henri Bon).
29g Bassinet à visière, XVe siècle. Metropolitan Museum of Art, New York.
29d Epée, XVe siècle. Musée de l'Armée, Paris.

CHAPITRE II

30 Siège d'Orléans par les Anglais, miniature extraite de la *Chronique abrégée des rois de France*, XVe siècle. Bibliothèque nationale, Paris.

31 Croquis en marge du registre du Parlement de Paris, par Clément de Fauquembergue, 1429. Archives nationales, Paris.

32 Mort du comte de Salisbury au siège d'Orléans, miniature extraite des *Vigiles du roi Charles VII*, 1484, par Martial d'Auvergne. Bibliothèque nationale, Paris.

32-33 Orléans, vu de la rive sud de la Loire.

33 «Vrai portrait de la ville d'Orléans comme elle était lors du siège des Anglais en l'an 1428», plan général.

34h Portrait du bâtard d'Orléans, comte de Dunois, école tourangelle, v. 1450. Coll. Hengel.

34b Signature autographe du bâtard d'Orléans, datée du 6 mai 1429. Archives départementales du Loiret.

35h La «journée des harengs», miniature extraite des *Vigiles du roi Charles VII*, 1484, par Martial d'Auvergne. Bibliothèque nationale, Paris.

35b Blason de Dunois, bâtard d'Orléans.

36 Page du registre du Parlement de Paris, par Clément de Fauquembergue, 1429. Archives nationales, Paris.

36-37 Statue équestre de Jeanne, par Emmanuel Frémiet, 1880. Place des Pyramides, Paris.

37 Maison de Jacques Boucher, dite «de Jeanne d'Arc», à Orléans.

38h Scène de siège, détail d'une miniature du XVe siècle.

38b Soldats armant des bombardes, détail d'une miniature du XVe siècle.

39 Bombarde, couleuvrines, boulets.

40-41h Jeanne à l'assaut des Tourelles, illustration de Louis-Maurice Boutet de Monvel, pour *La Vie de Jeanne d'Arc*.

40-41b Prise des Tourelles, bas-relief de Vital-Gabriel Dubray, ornant le socle de la statue de Jeanne (1855) par Denis Foyatier. Place du Martroi, Orléans.

41h Maquette de la prise du fort des Tourelles. Maison de Jeanne d'Arc, Orléans.

42 Levée du siège et entrée des Français à Orléans, miniature extraite des *Vigiles du roi Charles VII*, 1484, par Martial d'Auvergne. Bibliothèque nationale, Paris.

42-43 *Entrée de Jeanne à Orléans*, tableau de Jean-Jacques Scherrer, 1887. Musée des Beaux-Arts, Orléans.

44-45h Bannière d'Orléans commémorant la libération de la ville, XVIe siècle (deux panneaux). Musée archéologique et historique, Orléans.

44-45m Manuscrit du mystère du siège d'Orléans : «Le mystère du siège d'Orléans fut composé et compilé en la manière ci après déclarée...»

44b Fête Jeanne d'Arc à Orléans vers 1908-1910, carte postale.

CHAPITRE III

46 Jeanne à cheval, miniature extraite de *La Vie des femmes célèbres* d'Antoine Dufour, 1505. Musée Dobrée, Nantes.

47 Cathédrale de Reims.

48h Arthur de Richemont, connétable de Bretagne.

48m John Talbot, miniature de T. Bellange, 1630.

48-49 Charles VII recevant Jeanne au château de Loches, miniature, XVe siècle. Centre Jeanne d'Arc, Orléans (don G. Paget).

50-51 *Jeanne d'Arc à Loches*, tableau de Alexandre-Louis-Robert Millin du Perreux, salon de 1819. Château de Loches.

52-53 *La Pucelle*, (bataille de Patay) tableau de Frank Craig, 1907. Musée d'Orsay, Paris.

54h Les bourgeois de la ville de Troyes remettent les clés de la ville au dauphin et à Jeanne, dans les *Vigiles du roi Charles VII*, 1484, de Martial d'Auvergne. Bibliothèque nationale, Paris.

54m Le calice du sacre, XIIe siècle. Palais du Tau, Reims.

55h L'ange au sourire de la cathédrale de Reims.

55m Charles VII couronné, buste en marbre provenant de la basilique de Saint-Denis, XVe siècle. Musée du Louvre, Paris.

56 Dessin préparatoire de Jean-Auguste-Dominique Ingres pour son tableau du Louvre, 1854. Musée Ingres, Montauban.

57 *Sainte Jeanne d'Arc pendant le sacre*, tableau de Maurice Denis, vers 1920. Musée des Beaux-Arts, Orléans.

58h *Gilles de Laval, sire de Rais*, tableau de Eloi-Firmin Féron, milieu XIXe siècle. Musée du château, Versailles.

58-59m Sceaux de Dunois (grand), Gilles de Rais (petit jaune) et Xaintrailles (rouge).

58b Poton de Xaintrailles et La Hire, dans les *Vigiles du roi Charles VII*, 1484, par Martial d'Auvergne. Bibliothèque nationale, Paris.

59 Signature de La Hire

60-61h Plan de Paris, dit «de Bâle», de Olivier Truschet, vers

1550.
60b Jeanne au siège de Paris, dans les *Vigiles du roi Charles VII*, 1484, par Martial d'Auvergne, 1484. Bibliothèque nationale, Paris.
61 Christine de Pisan, miniature, XVe siècle.

CHAPITRE IV

62 «Le très victorieux roi de France», portrait de Charles VII par Jean Fouquet. Musée du Louvre, Paris.
63 Jeanne, par Paul Dubois, 1873.
64h Vue de La Charité-sur-Loire, gravure de Claude Chastillon et Jean Poinsart. XVIe siècle.
64-65m Lettre de Jeanne aux habitants de Riom, datée du 9 novembre 1429 (et détail de sa signature). Archives municipales, Riom.
66h Charles VII remettant un parchemin à Jeanne, manuscrit du XVe siècle. Bibliothèque royale, monastère de l'Escorial.
66m Lettre de Charles VII, datée de Chinon le 2 juin 1429, anoblissant la famille de Jeanne. Maison natale de Jeanne d'Arc, Domrémy.
66-67 Blason de Jeanne d'Arc.
67b Le château de Sully-sur-Loire.
68-69 Deux détails d'un tableau de Paul-Hippolyte Flandrin, *Jeanne d'Arc en prière*, salon de 1901.

68hd Bassinet bourguignon, vers 1400-1450. Musée de l'armée, Paris.
69m Assaut d'une ville, miniature des *Vigiles du roi Charles VII*, par Martial d'Auvergne. Bibliothèque nationale, Paris.
70 *Philippe le bon, duc de Bourgogne*, peinture d'après Roger Van der Weyden. Musée du Louvre, Paris.
71m La prise de Jeanne à Compiègne, triptyque en ivoire, XIXe siècle. Musée Vivenel, Compiègne.
71b Détail d'un des bas-reliefs de Vital-Gabriel Dubray, la prise de Jeanne à Compiègne. Place du Martroi, Orléans.
72 Jean de Luxembourg, miniature extraite des *Chroniques* d'Enguerrand de Monstrelet, XVe siècle. Bibliothèque nationale, Paris.
73 *Jeanne d'Arc en prière*, tableau de Pierre-Paul Rubens, vers 1620. Musée de Raleigh, Caroline du Nord.
74 *Jeanne d'Arc prisonnière*, statue de Louis-Ernest Barrias, 1903. Mémorial de Bonsecours.
75m La tour de Beaurevoir aujourd'hui.
75b Jeanne tombée au pied de la tour de Beaurevoir, statue de Mme Weerts, XXe siècle. Œuvre disparue.

CHAPITRE V

76 Jeanne montant sur le bûcher. Lithographie, XIXe siècle.
77 Jeanne devant ses juges, lettrine historiée extraite du manuscrit de condamnation. Bibliothèque nationale, Paris.
78hg Charles VII, miniature XVe siècle extraite des *Chroniques* de Jean Chartier. Bibliothèque municipale, Rouen.
78-79 Jeanne devant le roi d'Angleterre; à gauche Pierre Cauchon et Jean Lemaître, dans le manuscrit dit d'Armagnac, XVIe siècle. Victoria and Albert Museum, Londres.
79hd Abbaye de Saint-Ouen vue des toits de Saint-Maclou à Rouen.
80h Intérieur du château de Philippe Auguste où Jeanne a été emprisonnée.
80-81 *Jeanne d'Arc insultée dans sa prison*, tableau d'Isidore Patrois, 1866. Musée des Beaux-arts, Angers.
81bd La tour Jeanne d'Arc, donjon de Philippe Auguste construit en 1205, carte postale. Centre Jeanne d'Arc, Orléans.
82-83 Jeanne au procès, illustration de Louis-Maurice Boutet de Monvel pour l'album *Jeanne d'Arc*.
83m La minute d'Orléans. Bibliothèque municipale, Orléans.

84m Détail d'une des marges du manuscrit du procès de condamnation : *responsio superba*. Bibliothèque nationale, Paris.
85 Apparition de saint Michel à Jeanne, gravure XIXe siècle.
84-85b *Le Sommeil de Jeanne d'Arc en prison*, peinture de William George Joy, 1895. Musée des Beaux-Arts, Rouen.
86 *Jeanne d'Arc interrogée par ses juges*, tableau de Emile Deshays, 1901. Musée des Beaux-Arts, Rouen.
87h *Le Jugement de Jeanne d'Arc*, tableau d'Antony Serres, 1867. Musée des Beaux-Arts, Bordeaux.
87m Exemplaire personnel de Cauchon du manuscrit de condamnation de Jeanne. Bibliothèque de l'Assemblée nationale, Paris.
88 et 89 Deux détails des marges du manuscrit : *responsio mortifera* et *abjuratio facta per Johannam*. Bibliothèque nationale, Paris.
89 Page du manuscrit de condamnation.
89m *Jeanne d'Arc est interrogée par le cardinal de Winchester dans sa prison*, tableau de Paul Delaroche. Musée des Beaux-Arts, Rouen.
90-91 *Jeanne d'Arc conduite au bûcher*, tableau d'Isidore Patrois. Musée des Beaux-Arts, Rouen.

92-93b Jeanne au bûcher devant Cauchon, miniature extraite des *Vigiles du roi Charles VII*, 1484, par Martial d'Auvergne. Bibliothèque nationale, Paris.

92 Jeanne et sa mitre (et détail), dans A. Harmand, *Jeanne d'Arc, ses costumes, son armure*, Paris, 1929.

94-95h Jeanne au bûcher, un des tableaux de la série de Lionel Royer, début XXe siècle. Basilique de Bois-Chenu, Domrémy.

94b Isabelle Romée devant le pape. Manuscrit de Diane de Poitiers, XVe siècle. Coll. part., Angleterre

96 Jeanne dans les flammes, lithographie XIXe siècle.

TÉMOIGNAGES ET DOCUMENTS

97 Bas-relief de Cadars, sculpté entre 1915 et 1918, dans une carrière, bois de Thiescourt, Lassigny.

98 Jeanne dans sa prison, bas-relief de Vital-Gabriel Dubray, sur la statue équestre de Jeanne d'Arc par Denis Foyatier. Place du Martroi, Orléans.

104-105 Le bûcher de Rouen, détails d'un des bas-reliefs de Vital-Gabriel Dubray, *idem.*

106 Statue de Jeanne par Paul Dubois, gravure XIXe siècle. Centre Jeanne d'Arc, Orléans.

111 *Scène de bataille avec Jeanne d'Arc,*

tableau de Raymond De Baux, XIXe siècle. Musée des Beaux-Arts, Orléans.

114 Jeanne à l'étendard, croquis de Clément de Fauquembergue, greffier du Parlement de Paris, 1429. Archives nationales, Paris.

115 «Olofernes, dame Judith et Jehanne la pucelle», miniature extraite du *Champion des dames*, de Martin le Franc. Bibliothèque nationale, Paris.

116 Portrait de Jeanne commandé par les échevins d'Orléans, 1581. Musée historique de l'Orléanais, Orléans.

117 Statue de Jeanne par Edme-Etienne-François Gois à Orléans (début XIXe siècle), carte postale. Centre Jeanne d'Arc, Orléans

118g Affiche placardée à Paris, pendant l'occupation allemande. Vers 1943-1944.

118d «Honneur et patrie», allégorie des héros de la France, peinture de Maurice Leloir.

119 Boîte de fromage à l'effigie de Jeanne.

120 Actrice interprétant le rôle de Jeanne, gravure début XVIIIe siècle. Centre Jeanne d'Arc, Orléans.

121 Page extraite des *Vigiles du roi Charles VII*, 1484, par Martial d'Auvergne. Bibliothèque nationale, Paris.

122 Frontispice de *La*

Pucelle ou la France délivrée, de Jean Chapelain. Bibliothèque nationale, Paris.

126 *Joan of Arc* de Mark Twain. Centre Jeanne d'Arc, Orléans.

129 Ingrid Bergman dans *Giovanna d'Arco al rogo* («Jeanne au bûcher») de Roberto Rossellini, d'après l'oratorio de Paul Claudel et Arthur Honegger. Production Franco London Films/PCA, 1954.

130 Jeanne à cheval, miniature du *Champion des dames* de Martin le Franc. Collection particulière.

131 André Malraux. Bibliothèque nationale, Paris.

133 Les cendres de Jeanne jetées dans la Seine, gravure dans Emile Deshays *Jeanne d'Arc à Rouen*, Nancy, début XXe siècle. Bibliothèque des arts décoratifs, Paris.

134 Jeanne à Domrémy, bois gravé. Bibliothèque nationale, Paris.

136 Affiche pour les fêtes Jeanne d'Arc à Orléans. Centre Jeanne d'Arc, Orléans.

141 Jeanne écoutant ses voix, un des tableaux de la série de Lionel Royer, début XXe siècle. Basilique de Bois-Chenu, Domrémy.

142 *Jeanne conduite au supplice*, détail d'un tableau de Ary Scheffer, 1835. Musée des Beaux-Arts, Orléans.

144 Michèle Morgan dans *Jeanne*, un des trois sketches du film *Destinées*, de Jean Delannoy. Production Franco London Films-Continental Produzione, 1954.

145h Renée Falconnetti dans *La Passion de Jeanne d'Arc*, de Carl Dreyer. Production Société générale de films, 1928.

145b *La Passion de Jeanne d'Arc*, de Carl Dreyer. Production Société générale de films, 1928.

146h Simone Genevois dans *La Merveilleuse Vie de Jeanne d'Arc*, de Marc de Gastyne. Production Auber-Natan, 1928.

146b Angela Salloker dans *Das Mädchen Johanna* («Jeanne la Pucelle») de Gustav Ucicky. Production UFA, 1935.

147h, m, b Ingrid Bergman dans *Joan of Arc* de Victor Fleming. Production RKO, 1948.

148h Jean Seberg, dans *Saint Joan*, d'Otto Preminger. Wherel Productions, 1957.

148b Florence Carrez dans *Le Procès de Jeanne d'Arc* de Robert Bresson. Production Agnès Delahaie, 1962.

149 Inna Tchourikova dans *Le Début* de Gleb Panfilov. Production Studio Len Film, 1970.

150-151 Sandrine Bonnaire dans *Jeanne la Pucelle*, de Jacques Rivette. Production Pierre Grise, 1994.

INDEX

A

Aignan, saint *45*.
Albret, sire d' 56, 64.
Alençon, Jean duc d'
48, *53*, 56, 59, 60, 63.
Ambleville 29.
Ampoule, Sainte 56.
Angers 32.
Arbre des dames ou
des fées *19*, 83.
Arc, Jacques d' (père
de Jeanne)15, 56, 65,
84;
– Jean d' (frère de
Jeanne) *43*, 65;
– Pierre d' (frère de
Jeanne) *43*, 65, *65*, 66,
68.
Armagnacs 24.
Arques 75.
Arras 75.
Augustins, bastide des
40, 41.
Aulon, Jean d' 29, 42,
68.
Auvergne, Martial d'
Auxerre 22, *47*, 53.
Avenio *33*.
Avignon 74.
Azincourt, victoire d'
14, 34, 48, 52, *52*, 72.

B

Bar, Jeanne de 72, 74;
– Robert de 72.
Baretta, Barthélemy
67, 68.
Bastien-Lepage (Jules)
19.
Bâtard Jean d'Orléans
(voir à Dunois).
Baudricourt, Robert de
13, 15, 16, 17, 23, 27.
Beaufort, Henri,
cardinal d'Angleterre
88.
Beaugency 48.
Beaulieu-les-Fontaines
72.
Beaurevoir, château de
72, 74, 75.

Beauté-sur-Marne,
château de *34*.
Beauvais 58, 59;
– évêché de 75;
– évêque de
(voir Pierre Cauchon).
Bedford, duc de,
régent de France 15,
58, 59, 60, 64, *64*;
– duchesse de 80, 88.
Belle-Croix, île de *33*.
Bénouville *21*.
Berry, héraut 59.
Béthune, Jeanne de 72,
74.
Béthune, Maximilien
de, duc de Sully 67.
Blois 29, 35, 37, *39*.
Boisguillaume *83*.
Bonsecours 75.
Bordeaux 31.
Bosc-le-Hard 75.
Boucher, Jacques ;
hôtel de 37, *37*, 39.
Bouillé, Guillaume 94.
Bourges 15, 56.
Bourgogne 32, 34, 71;
porte de 35, 38, *54*.
Bourgogne, duc de
(voir à Philippe
de Bourgogne).
Bourguignons 13, 15,
15, 24, 52.
Boussac, maréchal de
64.
Bouvreuil, Château de
75, *81*.

C

Cagny, Perceval de *53*,
60, 65.
Calais 58, *59*, 74.
Calixte III, pape 95, *95*.
Catherine de France
15, 78.
Catherine, sainte *19*,
21, *85*, *85*, 88.
Cauchon, Pierre,
évêque de Beauvais 74,
75, 77, *77*, 78, 79, *79*, 80,
81, *81*, 86, 87, *87*, 88, 92,
93, *93*.

Châlons *47*, 54; évêque
de 55.
Charité-sur-Loire, La
64, *64*, 65, 65.
Charles d'Orléans *45*,
59.
Charles VI 13, 14, 15,
26, *34*.
Charles VII 15, 16, 17,
22, 23, 24, *24*, 25, *25*, 26,
31, 34, *34*, *37*, *51*, *53*, 54,
54, 55, *55*, 56, 57, 57, 58,
58, 59, *59*, 60, 61, *63*, 64,
64, 65, *66*, 66, *67*, 67, 68,
68, 71, 75, *75*, 78, *78*, 94.
Charles, Simon 26.
Chartres, Regnault de,
archevêque de Reims
35, 56.
Chastellain, Georges
70, 71.
Château-Thierry 59.
Châteaudun *39*.
Chécy 34, 35.
Chinon 13, 15, 17, 22,
22, 23, 24, *24*; château
de *22*, 23, 24, *24*.
*Chronique abrégée des
rois de France* 27.
Clairoix 69.
Clermont 65;
– comte de *35*.
Clovis *47*, 55.
Colet de Vienne 17, 22.
Compiègne 60, 63, 67,
68, 69, 70, 71, *72*, 74.
Coulommiers 59.
Coutes, Louis de 29,
69.
Couldray, Tour du 26.
Crécy 68.
Crépy 60.
Crotoy 75.
Culant, amiral Louis de
35.

D

Dauphin
(voir à Charles VII).
Denis, Maurice 57.
Dijon 70.
Dimanche des Bures

22.
Domrémy 13, *13*, 15,
17, *19*, 55, 56, 66, 80, 83.
Dourdan 59.
Drugy 75.
Dubois, Paul 63.
Duguesclin *49*.
Dun, château de 34.
Dunois, comte de
(Jean, bâtard
d'Orléans) et sire de
Longueville 32, 33, 34,
34, 35, *35*, 37, 42, 47, 48,
51, 59, 64.
Duremort, Gilles de,
abbé de Fécamp *82*.

E - F

Emery, Maître
Guillaume 29.
Enghien, Mariette d'
34.
Erard, Guillaume 88.
Etats généraux 24.
Euverte, saint *45*.
Evêque de Troyes
(voir à Jean Leguisé).

Falstaff, John 38, 48,
49, *52*.
Fauquembergue,
Clément de *31*.
Flavy, Guillaume de 70.
Fouquet, Jean *63*.

G

Gaucourt, sire Raoul
de 40.
Gerson, Jean 72.
Gien 53, *53*, 60.
Glasdale, Guillaume
32, *37*.
Gouffier, Guillaume
26.
Graverent, Jean,
inquisiteur de France
78, *79*.
Grouchet, Richard du,
chanoine d'Evreux *82*.
Guerre de Cent Ans
13, 14.
«Guet-apens de

Montereau» *26,* 58.
Guyenne 15, 31.
Guyenne, le héraut 29, 39.

Hardiesse des grands rois et empereurs, (de Pierre Sala) *26.*
Hauviette *17.*
Henri IV de Lancastre *67, 88.*
Henri V de Lancastre 14, 15, *15,* 61, 78.
Henri VI de Lancastre 15.
Honnecourt, Jean de *13.*
Hussites, les 58.

I - J

Ingres, Jean-Auguste-Dominique *56.*
Inquisiteur de France 72, 77.
Inquisition 72, 78, 80, 95.
Isabelle de Portugal 14, *70.*
Isambart de La Pierre, frère 93, *93.*

Jargeau 48, 65.
Jean-sans-Peur *26,* 58.
Jean, fils de Louis d'Orléans
(voir à Dunois).
Jean, frère de Charles VII 25.
Jolivet, Robert *82.*
Journal du siège d'Orléans 37, *43,* 44.
«Journée des harengs» 34, *35.*

L

L'Archer, Richard 17.
La Hire 35, *35,* 40, *58, 59.*
La Trémoille, Jean de *49,* 57, 67.
Ladvenu, Martin *91,* 92, *93.*
Lagny *58,* 68, *69.*
Lancastre, les 14.
Laon 59.

Laval, Gilles de (voir Gilles de Rais).
Laval, Guy de *49.*
Laxart, Durand 16.
Leguisé, Jean, évêque de Troyes 55.
Lemaître, Jean 78.
Leparmentier, Maugier *87.*
Le Royer, Catherine 17.
Loches 15, 48, *49, 51.*
Loiseleur, Nicolas *81.*
Lorraine 13, 17, 24, 29, *81.*
Louis d'Orléans 33, *34.*
Louis XI *51.*
Louis, frère de Charles VII 25.
Louis, saint *54.*
Louviers *59.*
Louvre *56.*
Luxembourg, château de *75.*
Luxembourg, Jean de 70, 72, *72,* 74, 75, 88;
– Jeanne de 72, 74;
– Louis de 88.
Lyon 72.

M

Manchon, Guillaume *83,* 87, *87,* 95.
Margny 69.
Marguerite, sainte *19, 21,* 88.
Marie d'Anjou, reine 56.
Massieu, Jean, *88,* 91, 92, *93,* 95.
Maxey 13.
Mehun-sur-Yèvre 60.
Melun 67, 68, 69.
Metz, Jean de *13,* 17, 22.
Meung-sur-Loire 44, 48.
Michel, saint 16, *19,* 84.
Montargis, siège de 34.
Montépilloy, château de 59.
Montpensier, comte de 64.
Moreau, Jean *17,* 55.
Morosini 56.

Mortemer, Jeanne de 27.
Monstrelet, Enguerrand de 71, *72.*
Mont Saint-Michel *82.*
Moulins 65.

N - O

Neufchâteau *17.*
Nevers *59.*
Notre-Dame de Paris 95.
Noyon 72, 88.

Orléans 15, 16, *23,* 29, *29,* 31, *31,* 32, *32,* 33, *33,* 34, 35, *35,* 36, 37, 39, 42, *43,* 44, 45, *45, 59, 65,* 66, 72, 95.
Orléans, duc d' 27, 37.
Osbert, Alphonse *21.*

P

Palais-Royal *61.*
Paris 14, *31,* 47, 52, 58, *59, 59,* 60, 61, *61,* 67, 72, 75.
Parlement de Paris *31, 36,* 37, *37,* 72.
Patay 48, 49, *49,* 52, *52,* 53.
Perrinet-Gressart 64, *64,* 65.
Philippe le Bon, duc de Bourgogne 14, *26,* 27, *35,* 53, 57, 58, 59, 64, *64,* 66, 67, 68, 69, 70, *70,* 71, 72, *72,* 74, 80.
Philippe Auguste *81.*
Pisan, Christine de 61, *61.*
Poissy 61.
Poitiers 26, 27, 39;
– juges de 56;
– procès de 26.
Poulengy, Bertrand de 17, 22.
Preuilly, Jeanne de 27.
Provins 59.

R

Rais, Gilles de *44,* 56, *58.*
Raymond 29, 60.
Regnard, porte 39.

Reims 25, 47, *47,* 48, *49, 51,* 53, 54, 55, 56, *56,* 57, *58,* 59, *59,* 67.
Révolution de 1789 66.
Richard II Plantagenêt 14.
Richard, frère 54.
Richelieu, ducs de 24.
Richemont, Arthur de, comte de Bretagne 48, *49, 59,* 64.
Riom 65, *65.*
Roi d'Angleterre 31, 74, 75, *75,* 88.
Roi de France et d'Angleterre *15,* 75, *79.*
Romée, Isabelle 15, 56, 65, 84, 95, *95.*
Rouen 14, 34, *58,* 75, *75, 79, 82,* 88, *94;*
– chanoines de 79;
– château de 80, 81, *87;*
– place du Vieux-Marché de *77, 91,* 92.
Rubens, Pierre-Paul 72.
Rude, François *19.*

S - T - U

Saint-Denis 60, 67;
– basilique de *55.*
Saint-Honoré, porte 60, 61, *61.*
Saint-Jean-Le-Blanc, bastide 40;
– faubourg 32.
Saint-Loup, bastide 34, 38; – île 32.
Saint-Ouen 79, 88
Saint-Pierre-du-Martroi, église 29.
Saint-Pierre-le-Moûtier 63.
Saint-Rémi, abbaye de 56.
Saint-Riquier 75.
Saint-Sauveur, paroisse *91.*
Saint-Urbain-de-Joinville 22.
Saint-Valéry-sur-Somme 75.
Sainte-Catherine-de-Fierbois 22.
Sala, Pierre *26.*
Salisbury, Jean, comte

de 31, *31*, 32, *32*.
Scherrer, Jean-Jacques *43*.
Seguin, Seguin 29.
Senlis 59, 60.
Sept-Saulx 55.
Sigismond, empereur d'Allemagne *43*.
Soissons 59, 68.
Sologne 29, 35.
Suffort, comte de *31*.
Sully-sur-Loire 66, 67, *67*, 68.
Surreau, Pierre 74.

Talbot, John 33, 48, 49,

49, 52, *52*.
Taquel, Nicolas *83*, *86*, *88*.
Thérage, Geoffroy *93*.
Thomas, Colin *40*.
Tiffauges, château de *58*.
Toison d'or, ordre de la 64, *70*.
Tourelles, pont des 32, *32*, 33, 39, *42*;
– fort des *33*, *41*;
– bastide des 41.
Tournai *65*.
Tours 29.
Traité de Troyes 15, *15*,

74, 78.
Troyes *47*, 54, *54*, 55, 59.

Université de Paris 26, 27, *75*, 77, 88.

V - W - X

Van der Weyden, Roger *70*.
Vaucouleurs *13*, 15, *15*, 16, *16*, 17, 22, *23*, 27, 87.
Venette 69.
Vergy, Antoine de *15*, *17*.

Vierge Marie, la *45*, *91*.
Vigiles du roi Charles VII, par Martial d'Auvergne *22*, *43*, 68.
Vignolles, Etienne (voir La Hire)
Visconti, Valentine *34*.

Wandomme, bâtard de 70, *72*.
Wavrin, Jean de 49, 52.
Warwick, comte de 88, 92.
Xaintrailles, Poton de *58*.

CRÉDITS PHOTOGRAPHIQUES

ADAGP-Boutet de Monvel 40-41h, 82-83. ADAGP-A. Osbert 20. Bildarchiv Preussischer Kulturbezitz, Berlin. 46. Bibl. nat., Paris 16h, 23b, 32, 35h, 42, 54h, 58b, 60b, 77, 92-93b, 115. British Film Institute, Londres 4e de couv., 129, 145h, 145b, 146h, 146b, 147h, 147m, 147b, 148h, 148b, 149.. Bulloz, Paris 16b, 19, 36-37, 57. Caisse nationale des monuments historiques-SPADEM / Luc Joubert 54m. Charmet (Jean-Loup), Paris 34h, 36, 45h, 73, 133. Centre Jeanne d'Arc, Orléans (Droits réservés) 17, 17hd, 24, 25, 27, 30, 33, 37, 41h, 44b, 48h, 59, 60-61h, 71b, 76, 81bd, 85, 92, 96, 98, 104, 106, 116, 117, 119, 120, 121, 122, 130, 136. Cinéplus, Paris 144. Dagli-Orti, Paris 42-43, 48m, 58-59m, 66h, 66m, 89m. Droits réservés 72, 89, 94-95h, 114, 131, 141. Edimédia, Paris 18-19, 58h. Explorer, Vanves 13, 56. Falquet (Louis) 14hg, 15, 28, 29d, 31, 34b, 35b, 38h, 38b, 39, 44h, 48-49, 55m, 61, 64-65m, 69m, 78hg, 83m, 84m, 94b. Giraudon, Vanves 12, 20, 29g. Horvais (Patrick) 87m. Jamet, Moune 150h, 150b, 151h, 151bg, 151bd. Josse, Paris 1, 3, 4, 5, 7, 9, 66-67, 84-85b, 86, 90-91. Musée de l'Armée, Paris 68hd. Musée des Beaux-arts, Bordeaux 87h. Musée des Beaux-arts, Orléans 111, 142. Musée des Beaux-arts, Reims/C. Devleeschauwer 21. Musée des Beaux-arts, Tours. 50-51. Musée Vivenel, Compiègne 71m. Musées d'Angers 80-81. Musées de Blois 11. Prévost-Bouré (Jacques) 75h, 75b. R.M.N, Paris, 1er plat et dos de couv., 52-53, 62, 70. Roger-Viollet, Paris 22-23h, 24-25, 26-27, 32-33, 40-41b, 44-45m, 47, 55h, 63, 64h, 67b, 68-69, 74, 79hd, 80h, 105, 118g, 118d, 134. SPADEM-M. Denis 57. Vigne (Jean) 78-79, 97, 126.

REMERCIEMENTS

L'éditeur remercie le Centre Jeanne d'Arc à Orléans ; Eric Moinel et Chantal Furet des musées d'Orléans; Marie Pessiot du musée des Beaux-Arts de Rouen; Annie Gilet des musées de Tours, Barbara Puccini des musées de Blois; le musée Vivenel de Compiègne; le musée des Beaux-Arts de Reims; Jacques Prévost-Bouré; Jean Mengin, de la basilique de Bois-Chenu à Domrémy; la base de données JOCONDE de la Direction des musées de France; Laurence Granec.

EDITION ET FABRICATION

DÉCOUVERTES GALLIMARD
DIRECTION : Pierre Marchand et Elisabeth de Farcy.
GRAPHISME : Alain Gouessant. FABRICATION : Violaine Grare. PROMOTION : Valérie Tolstoï.
JEANNE D'ARC
EDITION : Delphine Babelon. MAQUETTE : Vincent Lever. ICONOGRAPHIE : Delphine Babelon.
LECTURE-CORRECTION : Catherine Lévine et Pierre Granet. PHOTOGRAVURE : Arc-en-Ciel.
MONTAGE P.A.O. : Ductus et Dominique Guillaumin.

Table des matières

I DOMRÉMY-CHINON

14 «La grande pitié du royaume
    de France»
16 «Une vierge des marches
    de Lorraine»
18 *Jeanne et ses voix*
20 *«Une voix qui vient
    de par Dieu»*
22 L'équipée de la Pucelle
24 Face à Charles VII
26 Premier procès de Jeanne
28 Jeanne sur le pied de guerre

II ORLÉANS

32 Orléans assiégée
34 Rencontre avec la bâtard
36 Jeanne intra-muros
38 Message aux assiégeants
40 Des Augustins aux Tourelles
42 Orléans ville libre
44 Un cortège pour la Pucelle

III REIMS

48 Jeanne en campagne
50 L'attente au château
52 Patay contre Azincourt
54 La route du sacre
56 La trêve du roi Charles VII
58 Les compagnons de Jeanne
60 L'échec de Paris

IV SAINT-PIERRE-LE-MOÛTIER-COMPI

64 En «grande déplaisance»
66 La Pucelle anoblie
68 Prise au piège
70 La petite paysanne
    et le grand duc
72 D'une prison à l'autre
74 Les tractations
    de Pierre Cauchon

V ROUEN

78 Un procès d'Inquisition
80 Paroles de Jeanne
82 Face aux assesseurs
84 Jeanne mise en lumière
86 «Cet habit ne charge
    pas mon âme»
88 L'abjuration mise en scè
90 Menée au supplice
92 Place du Vieux-Marché
94 La mère de Jeanne
    devant le pape

TÉMOIGNAGES ET DOCUMENTS

98   Jeanne au procès
106 Le cas Jeanne d'Arc
114 Jeanne et son image
120 Jeanne à travers
     la littérature
130 Hommages à Jeanne
136 Sainte Jeanne
144 De Méliès à Rivette